La vie cachée
de
Katarina Bishop

ALLY CARTER

La vie cachée de Katarina Bishop

Tome 2 :
CRIMINELS D'EXCEPTION

Traduit de l'anglais (États-Unis)
par Françoise Hayward

Titre original : *Uncommon criminals*
Première publication par Disney-Hyperion Books,
du Disney Book Group.
Mappemonde © Guillaume Delisle.

© Éditions Michel Lafon, 2012, pour la traduction française.
7-13, boulevard Paul-Émile-Victor – Île de la Jatte
92521 Neuilly-sur-Seine Cedex

www.lire-en-serie.com

Pour Vanessa

CHAPITRE 1

En hiver, Moscou peut être un véritable enfer de glace. Mais la grande demeure du boulevard Tverskoï semblait préservée, parfaitement invulnérable aux effets du temps.

À l'époque des tsars, quand les gens faisaient la queue toute une journée dans la rue pour un quignon de pain, les résidents mangeaient du caviar. Quand la Russie grelottait sous les bises sibériennes, il était éclairé – au gaz – et un feu de cheminée réchauffait chacune de ses pièces. Et quand la Seconde Guerre mondiale s'acheva, alors que des villes comme Berlin et Leningrad n'étaient plus que des tas de ruines et de décombres, les habitants de la grande maison du boulevard Tverskoï n'eurent qu'à prendre un marteau et à planter un clou pour accrocher un tableau sur le mur du palier, tout en haut du grand escalier, pour marquer solennellement la fin de cette longue guerre. La toile ne devait pas faire plus de vingt centimètres sur trente. Les coups de pinceau étaient légers et précis. Et le sujet, un paysage de Provence, avait été le thème favori d'un artiste nommé Paul Cézanne.

Personne dans la résidence n'évoqua jamais la façon dont cette toile avait atterri là. Aucun membre du personnel, ne se permit d'interroger l'homme de maison – un gradé du Soviet suprême – sur ce tableau, ni sur la guerre ni sur les faits de guerre qui lui avaient valu une telle récompense. Cette demeure, sur le boulevard Tverskoï, avait toujours été très discrète, et tout le monde le savait.

La guerre était finie. Les nazis avaient perdu. Et les vainqueurs se partageaient toujours le butin.

Ou comme dans ce cas, peut-être, les tableaux.

De l'eau coula sous les ponts, et finalement très peu de gens se souvinrent de l'homme qui avait apporté la toile dans la maison au moment de la libération de l'Allemagne de l'Est. Aucun des voisins n'osa prononcer les lettres KGB.

Parmi les anciens socialistes et les nouveaux nantis invités à franchir la porte pour des soirées de gala, personne n'osa jamais mentionner la mafia russe.

Pourtant, le tableau restait accroché au mur, la musique continuait de résonner, et la fête elle-même semblait durer indéfiniment – jusque dans la rue, où les échos de la soirée se dissipaient dans l'air glacé de la nuit.

La soirée du premier vendredi de février était consacrée à une levée de fonds au profit d'une fondation dont personne n'avait jamais entendu parler. Mais cela n'avait pas d'importance. Les mêmes personnes étaient invitées. Le même chef cuisinier avait préparé les mêmes plats. Les hommes étaient en smoking, et ils fumaient les mêmes cigares en buvant la même vodka. Et, bien entendu, le même tableau restait accroché en haut des escaliers, surplombant les invités qui s'égaillaient en bas.

Cependant, l'une des convives n'était pas une habituée. Lorsqu'elle donna à l'homme qui se trouvait à la porte un nom figurant sur la liste, son russe était teinté d'un léger accent. Lorsqu'elle tendit son manteau au domestique, personne ne remarqua qu'il était beaucoup trop léger pour quelqu'un qui affronte l'hiver à Moscou. Elle était beaucoup trop petite ; et ses cheveux noirs encadraient un visage bien trop juvénile. Les femmes la regardèrent passer avec une pointe de jalousie. Les hommes ne lui prêtèrent aucune attention. Elle s'activa autour du buffet jusqu'à une heure avancée de la nuit, jusqu'à ce que tout le monde soit ivre. Personne alors ne s'aperçut que la fille à la peau douce et pâle gravissait les escaliers et décrochait délicatement le petit tableau du mur. Elle se dirigea vers la fenêtre et sauta.

Ni la maison du boulevard Tverskoï, ni aucun de ses habitants ne revirent la fille, ni le tableau.

CHAPITRE 2

Personne ne se rend à Moscou en février pour le plaisir. C'est pour cela que la douanière examina avec curiosité l'adolescente, plus petite que la moyenne, qui faisait la queue parmi les hommes d'affaires et les expatriés qui arrivaient à New York ce jour-là, et qui avaient choisi de fuir l'hiver russe.

– Vous êtes restée combien de temps ? demanda la contrôleuse de la douane.

– Trois jours, répondit la fille.

– Vous avez quelque chose à déclarer ?

La femme en uniforme l'observa par-dessus ses lunettes en demi-lune.

– Est-ce que vous rapportez quelque chose, jeune fille ?

Cette dernière sembla réfléchir avant de secouer la tête. Quand la femme lui demanda si elle voyageait seule, son ton était plus celui d'une mère inquiète de voir voyager toute seule une fille si jeune, que celui d'un agent officiel du gouvernement dans l'exercice de ses fonctions.

Mais la fille avait l'air parfaitement à l'aise et elle répondit en souriant :

— Oui.

— Était-ce un voyage d'affaires ou d'agrément ? demanda la femme, détachant son regard du formulaire bleu pâle des douanes pour le poser sur les yeux bleu vif de l'adolescente.

— D'agrément, répondit la jeune fille.

Elle lui tendit son passeport et ajouta :

— J'étais invitée à une réception.

Katarina Bishop venait tout juste d'atterrir à New York, mais alors qu'elle traversait l'aéroport, en ce samedi après-midi, son esprit vagabondait déjà vers tous les endroits où elle devait encore se rendre.

Il y avait un Klimt au Caire, un très bon Rembrandt que la rumeur disait caché dans une cave dans les Alpes suisses, et une statue de Bartolini qui avait été vue dernièrement à Buenos Aires.

En tout, il y avait au moins une demi-douzaine d'affaires à régler, et l'esprit de Kat passait de l'une à l'autre, comme dans un labyrinthe. Et pourtant, ce n'était que la partie émergée de l'iceberg, car il y aurait sans doute d'autres plans à prévoir, qui concernaient des trésors disparus, enfouis, que personne n'avait encore retrouvés. Elle songea que les nazis avaient eu besoin d'une armée pour les piller, alors qu'elle était toute seule pour les récupérer, juste une petite voleuse isolée. Elle en était épuisée d'avance. Il lui faudrait peut-être toute une vie pour les restituer.

Kat s'engagea sur un Escalator et amorça sa descente. Ce n'est que lorsqu'elle sentit les bretelles de son sac à dos glisser sur ses épaules qu'elle décela la présence d'un grand garçon aux larges épaules derrière elle ; elle se retourna et le regarda, mais ne sourit pas.

– Il vaudrait mieux que tu n'essaies pas de voler ça, dit-elle.

Le garçon haussa les épaules, et prit la petite valise à roulettes à ses pieds.

– Je n'oserai pas.

– Parce que je sais hurler comme une sirène.

– Je n'en doute pas.

– Et je sais me défendre. Ma cousine m'a donné cette lime à ongles… une vraie lame de rasoir.

– Je saurai m'en souvenir, dit le garçon en hochant lentement la tête.

En atteignant le bas de l'Escalator, Kat réalisa à quel point elle avait été négligente et impardonnable de ne pas avoir remarqué ce garçon, que toutes les femmes du terminal suivaient du regard. Ce n'était pas parce qu'il était beau (il l'était, assurément), ce n'était pas parce qu'il était riche (c'était également indéniable), mais parce qu'il y avait un petit quelque chose de plus chez W. W. Hale numéro cinq, une confiance en soi innée (et que l'on ne pouvait lui dérober).

Elle le laissa porter ses bagages. Et ne protesta pas lorsqu'il se rapprocha d'elle, à tel point que son épaule frôla son bras à travers son épais manteau de laine. Et pourtant, malgré cela, ils ne se touchèrent pas. Il ne la regarda même pas lorsqu'il dit :

– J'aurais pu t'envoyer notre jet privé.

– J'essaie de cumuler des Miles.

– D'accord, si tu le prends comme ça…

Un instant plus tard, Kat vit son passeport apparaître dans les mains de Hale, comme par magie.

– Alors, c'était comment Moscou, mademoiselle… McMurray ?

Il lui jeta un coup d'œil.

– Tu n'as pas une tête à t'appeler Suzanne.

– Il faisait très froid à Moscou, répondit Kat.

Il feuilleta les pages du passeport et examina les timbres.

– Et Rio ?

– Chaud.

Elle s'arrêta soudain.

– Mais je croyais que mon père et oncle Eddie t'avaient envoyé en Uruguay ?

– Paraguay, corrigea-t-il. Et c'était davantage une *invitation* qu'un ordre, que j'ai déclinée à regret. J'aurais vraiment voulu faire un coup dans un palais accueillant la moitié de l'ancien KGB…

Il poussa un long soupir.

– … Dommage que je n'ai pas eu d'invitation.

Kat le regarda.

– Il ne faut rien exagérer. C'était juste une petite réunion mondaine à l'ancienne.

Hale sourit, néanmoins Kat perçut sa froideur.

– Oui, mais c'est dommage, il paraît que les tenues de soirée me vont très bien.

Kat était présente quand sa cousine Gabrielle lui avait fait ce compliment. Mais là n'était pas le problème.

– C'était un coup facile, Hale.

Kat se rappela le moment où la bise glacée avait ébouriffé ses cheveux alors qu'elle avait ouvert la fenêtre pour s'enfuir. Elle s'était dit que personne ne remarquerait la disparition du tableau avant le lendemain matin, et ça l'avait amusée.

– Trop facile. Tu te serais ennuyé !

– Ouais, dit-il. Parce que *facile* et *ennuyeux* sont deux mots que j'associe fréquemment au KGB.

– Je t'assure, Hale ! Sérieusement, c'était un job pour une seule personne. Si j'avais eu besoin d'aide, j'aurais appelé, mais...

– J'imagine que tu n'as pas eu besoin d'aide.

– La famille est en Uruguay.

– Au Paraguay, rectifia-t-il.

– La famille est au *Paraguay*, dit Kat en haussant la voix, mais elle se reprit aussitôt. J'ai cru que tu étais avec eux.

Il se dirigea vers elle et glissa le passeport dans la poche intérieure de son manteau, juste au-dessus du cœur.

– Il ne faudrait pas que tu perdes ceci.

Alors qu'il franchissait les grandes portes vitrées automatiques, Kat rassembla son courage pour affronter le vent glacé qui ne semblait pas incommoder Hale. Il se retourna et lui demanda :

– Alors, c'était un Cézanne ?

– Rien qu'un tout petit... monsieur *double you*, avec un W comme... Weatherby ?

Mais Hale se contenta de ricaner tandis qu'une limousine noire s'arrêtait dans le virage. Kat tenta à nouveau de deviner son nom, tout en s'efforçant de le rattraper :

– Wendell ?

Elle se glissa entre le garçon et la voiture et là, alors que son visage se trouvait à quelques centimètres du sien, son nom secret n'avait plus d'importance. Les raisons pour lesquelles elle avait travaillé tout l'hiver s'envolaient avec la brise.

Hale était là.

Il s'approcha d'elle un peu plus encore – il avait franchi une ligne interdite – et Kat sentit son cœur s'emballer.

– Excusez-moi, dit une voix grave. Mademoiselle, je vous prie.

Il fallut un moment à Kat pour entendre ces mots et reculer pour permettre à l'homme de lui ouvrir la portière.

Il avait les cheveux gris, les yeux gris, et un manteau de laine grise ; il était à la fois majordome, chauffeur, et garde du corps, en quelque sorte un homme de main.

– Je vous ai manqué, n'est-ce pas, Marcus ? lui demanda-t-elle pendant qu'il prenait ses valises et les déposait dans le coffre ouvert, avec son élégance habituelle.

– En effet, répondit-il avec son accent britannique prononcé.

Il la salua, soulevant discrètement son chapeau, et conclut :

– Bienvenue à la maison, mademoiselle.

– Ouais, Kat, ajouta Hale lentement, bienvenue à la maison.

Il faisait bon dans la voiture. Les routes qui menaient chez l'oncle Eddie, ou dans la maison de campagne de Hale, n'étant pas encombrées par la neige ou le verglas, ils seraient tous les deux au sec et à l'abri dans l'heure.

Mais la main de Marcus s'attarda sur la poignée de la

portière une seconde de trop. Quinze ans d'existence en tant que petite-nièce de M. Eddie et fille de Bobby Bishop aiguisaient les sens, et comme le vent soufflait dans la bonne direction, la jeune fille perçut une voix qui criait :
— Katarina !

Trois personnes seulement l'appelaient depuis toujours par son prénom. Le premier avait une grosse voix grincheuse, il donnait en ce moment des ordres au Paraguay… ou en Uruguay. L'autre avait une voix douce et agréable, mais il était à Varsovie, en train d'examiner un Cézanne et de préparer son rapatriement. La troisième voix, que Kat craignait tant qu'elle bondit hors de l'automobile était, avouons-le, celle de l'homme qui voulait probablement la tuer.

Kat examina attentivement la longue ligne de taxis qui embarquaient des voyageurs, le ballet des embrassades et des retrouvailles, mais elle n'aperçut aucune de ces trois personnes.
— Katarina ?
Une femme s'avançait vers elle. Les cheveux blancs, le regard doux, elle portait un long manteau en tweed et une écharpe tricotée à la main. Un jeune entourait de son bras les épaules de la vieille dame. Ils marchaient lentement vers elle, comme si Kat était une fumée évanescente qui risquait de disparaître avec la brise.
— Vous êtes *la* Katarina Bishop ? lui demanda la femme, les yeux écarquillés d'admiration. C'est vous qui avez cambriolé le musée Henley ?

CHAPITRE 3

Techniquement, Katarina Bishop n'avait rien volé au musée Henley – et aucun membre de son équipe non plus.

Elle faisait simplement partie d'un groupe d'adolescents qui avaient réussi, quelques mois auparavant, à pénétrer dans le musée le plus sécurisé de la planète et à en extraire quatre toiles qui n'appartenaient pas, de fait, au musée. Ces tableaux n'étaient pas répertoriés dans l'inventaire des assurances. Ils n'apparaissaient sur aucune liste, dans aucun catalogue. Le musée n'avait jamais déboursé un centime pour ces œuvres, par conséquent Kat en avait fait sortir un Rembrandt sans enfreindre la loi. Ce détail technique avait été vérifié par l'oncle Marco, un membre de la famille qui, durant dix-huit mois, s'était fait passer pour un juge fédéral dans le Minnesota.

Aussi, sans la moindre hésitation, Kat lui répondit :

– Je regrette. Vous avez été mal informée.

– Vous êtes *bien* Katarina Bishop ? lui demanda le compagnon de la femme.

Bien qu'ils ne se soient jamais rencontrés, c'était une question et un ton auxquels elle avait été confrontée bien des fois depuis décembre dernier.

Cette question sous-entendait que la fille qui avait organisé le coup du musée Henley aurait dû être plus grande, plus âgée, plus sage, plus forte, plus rapide, en tout cas très différente de la petite gamine qui se tenait devant eux.

– Katarina Bishop…

L'homme, qui cherchait ses mots, ajouta à voix basse :

– La voleuse ?

Ce n'était pas facile de répondre à une telle question. Après tout, voler – même quand il s'agissait de causes nobles et justifiées – était illégal. De plus, ces deux personnes avaient un fort accent anglais, or le musée se trouvait en Angleterre, tout comme les actionnaires du musée et, plus important encore, ses compagnies d'assurances.

Mais la principale raison pour laquelle Kat ne pouvait pas – ou ne voulait pas – répondre, était qu'elle ne se considérait pas du tout comme une voleuse. Elle était plutôt une spécialiste de la restitution, une artiste en quelque sorte, dédiée à la cause artistique. Une criminelle très particulière. La statue qu'elle avait dérobée à Rio appartenait à une femme dont les grands-parents avaient été exécutés à Auschwitz. Le tableau de Moscou était en partance pour Tel-Aviv où l'attendait son propriétaire, un homme de quatre-vingt-dix ans.

Alors non, Katarina Bishop n'était pas une voleuse, c'est pourquoi elle répondit :

– Je crois que vous vous êtes trompés de personne.

Puis elle fit volte-face en direction de la longue limousine noire.

— Nous avons besoin de votre aide, insista la femme qui lui emboîtait le pas.

— Je regrette, répliqua Kat.

— Nous sommes pourtant convaincus que vous avez beaucoup de talent.

— Le talent est surfait !

Alors que Kat atteignait le véhicule, la femme la saisit par le bras.

— Nous sommes prêts à payer !

À ces mots, Kat se figea.

— J'ai bien peur que vous ne vous soyez réellement trompés.

D'un regard, elle intima à Hale d'ouvrir la portière. Elle était déjà à moitié à l'intérieur de la voiture quand la femme ajouta :

— Il a dit que vous… aidiez les gens…

Sa voix se brisa, le jeune homme resserra son étreinte.

— Allez, viens, grand-mère, partons. Nous n'aurions pas dû le croire.

— Qui ça *il* ?

Kat n'avait pu s'empêcher de réagir au quart de tour, elle bondit hors du véhicule.

— *Qui* vous a dit mon nom ? *Qui* vous a dit où me trouver, dites-le-moi !

— C'est un homme… murmura la femme. Il était très convaincant. Il a dit…

— Comment s'appelait-il ?

Hale à son tour s'approcha du jeune homme,

vraisemblablement plus âgé, et qui mesurait bien cinq centimètres de plus que lui.

– Il est venu chez nous, dans notre appartement, répondit l'homme.

La vieille dame, l'interrompant, murmura dans un souffle :

– Romani.

Elle prit une grande inspiration.

– Il a dit s'appeler Visily Romani.

CHAPITRE 4

Qui connaissait le nom de Visily Romani, si ce n'était qu'il figurait sur deux cartes de visite apparues mystérieusement au musée Henley quatre mois plus tôt ? Très peu de gens avaient entendu prononcer ce nom. Depuis que Kat avait eu connaissance de ce personnage mystérieux, elle avait beaucoup mûri, beaucoup grandi, mais elle était toujours très jeune dans un monde très vieux.

Du moins c'était ainsi qu'elle se sentait une heure plus tard, assise à côté de Hale dans un petit restaurant tranquille tout près de l'hôtel particulier en pierres brunes de l'oncle Eddie, du côté du pont de Brooklyn. La vieille dame et son compagnon étaient assis en face d'eux, de l'autre côté de la table ; ils avaient l'air épuisés, incapables de parler, comme s'ils avaient voyagé pendant *très* long-temps pour arriver jusque-là.

L'endroit était presque vide, et pourtant le jeune homme jetait des coups d'œil par-dessus son épaule en direction de la serveuse qui nettoyait les tables et d'une lycéenne assise près de la vitre qui, des écouteurs dans les oreilles, était plongée dans un ouvrage sur le droit constitutionnel. Derrière ses lunettes à monture en écaille, il observait attentivement la salle.

Il demanda d'un air effrayé :

– Est-ce qu'on ne devrait pas trouver un endroit plus privé ?

Hale répondit :

– C'est un endroit très tranquille.

– Mais… commença le garçon.

Alors Kat posa ses coudes sur la table.

– Qui êtes-vous et que me voulez-vous ?

– Je m'appelle Constance Miller, mademoiselle Bishop, dit la femme aux cheveux blancs. Ou bien puis-je vous appeler par votre prénom ? J'ai l'impression que je vous connais, vous et M. Hale.

Elle sourit à Hale.

– Quel petit couple charmant.

Kat gesticula sur son siège mais la vieille dame poursuivit :

– Je suis devenue une de vos fans.

Elle avait l'air nerveuse, comme si, après avoir passé sa vie à confectionner des pâtisseries et à lire des romans d'Agatha Christie, elle en était soudainement devenue un des personnages.

– Ce que je veux dire, continua la femme, c'est que j'aimerais que vous voliez quelque chose pour moi.

– Je t'en prie, grand-mère.

– Oh, Marshall, dit la femme en tapotant les mains de son petit-fils, ce sont des *professionnels*.

24

Hale leva les yeux au ciel et jeta un coup d'œil ironique à Kat. Cette dernière lui balança un coup de pied sous la table et fit signe à la femme de continuer.

— Mais, grand-mère, ce sont…

Il désigna d'un coup d'œil l'autre côté de la table et baissa la voix :

— Des gamins.

— Et toi tu as vingt-cinq ans, dit-elle.

— Et quel est le rapport ?

Elle haussa les épaules.

— Pour moi, vous êtes tous des enfants.

Kat ne voulait pas s'attacher à cette femme. Quand on éprouve de l'affection pour quelqu'un, on prend des risques, on est moins rigoureux, on fait des faveurs. Alors Kat refoula son sourire. Elle se concentra sur la seule chose qu'elle désirait savoir avant tout :

— Comment avez-vous rencontré Visily Romani ?

— Il est venu me voir à Londres il y a deux semaines. Il connaissait notre situation et il nous a dit que vous…

— À quoi ressemblait-il ?

Kat avança son visage, pour mieux observer la seule personne qu'elle ait jamais rencontrée qui avait regardé Romani dans les yeux.

— Qu'est-ce qu'il a dit ? Est-ce qu'il vous a donné quel-que chose, ou bien…

— Êtes-vous déjà allée en Égypte, Katarina ? demanda la vieille dame, mais elle n'attendit pas la réponse. Moi, je suis née là-bas. (Elle sourit.) Quel endroit magnifique, pour une enfant. Les villes étaient si vivantes, et les déserts vastes comme des océans, voyez-vous. Nous dormions sous de grandes moustiquaires blanches et nous jouions au soleil. Mon père était un homme brillant. Il était fort et brave, intrépide même, ajouta-t-elle en agitant le poing. Mes parents étaient archéologues à cette époque-là… et pour des gens comme eux, l'Égypte était l'endroit où il fallait vivre.

— Tout cela est très intéressant, madame, mais je crois que vous avez parlé de…, l'interrompit Hale.

Mais la femme continua :

— Certains disaient en regardant le sable et le soleil que c'était une terre aride, non civilisée. Mais mon père et ma mère savaient que ce n'est pas l'apparence qui compte. La civilisation n'est pas faite de sable, elle est faite de sang. Mes parents ont cherché pendant des années. Les guerres faisaient rage, ils cherchaient. Leurs enfants sont nés, ils ont continué à chercher. Le passé les appelait à lui.

Son regard dérivait dans l'espace.

— Comme il m'appelle encore aujourd'hui.

Kat acquiesça ; elle pensa à tous les trésors, volés plus de cinquante ans auparavant, et à tous les tableaux qu'elle n'avait jamais vus et qu'elle avait tellement envie de toucher, de tenir entre ses mains.

— Grand-mère, dit Marshall à voix basse, en posant sa main sur l'épaule de la femme, peut-être prendras-tu un peu de thé ?

— Je ne veux pas de thé ! Je veux qu'on nous rende justice !

Son poing frêle martelait la table.

— Je veux que cet homme soit dépouillé de ce qu'il considère comme *sa* pierre, comme mes parents quand ils ont perdu tout ce qu'ils possédaient !

– Une pierre ? Quelle pierre ? demanda Hale, en se redressant sur son siège.

Mais le jeune homme ne fit même pas attention à sa question :

– Allez, viens grand-mère, si les meilleurs avocats d'Angleterre ne peuvent pas nous aider, alors que pourraient bien faire ces deux gamins ?

– Des gamins qui ont cambriolé le musée Henley, intervint Hale.

Kat lui balança un nouveau coup de pied sous la table.

– Mes parents l'ont trouvée, Katarina.

Soudain, la femme tendit les mains pour saisir les doigts fins de Kat.

– Ils l'ont trouvée, à une centaine de kilomètres d'Alexandrie, à un jet de pierre de la mer. Ils l'ont trouvée… une des chambres au trésor du dernier pharaon d'Égypte.

– Le dernier pharaon… commença Kat.

– Je suppose que vous la connaissez mieux sous le nom de Cléopâtre, murmura la femme dans un soupir. Oh, c'était une vision incroyable. Cléopâtre savait que les jours de son empire étaient comptés, et elle avait pris grand soin de cacher ses plus beaux trésors à l'abri des Romains. Cette salle était la plus grande que mes parents aient jamais vue. Il y avait des urnes, des statues et de l'or… Tellement d'or ! Je me souviens que je jouais à cache-cache avec les chercheurs, dans des montagnes d'or aussi hautes que des dunes de sable.

Elle ouvrit le sac qui était posé sur ses genoux et en sortit une vieille photographie en noir et blanc. Ses mains semblaient particulièrement frêles tenant le témoignage sur papier de ses souvenirs.

— Ce fut la période la plus heureuse de ma vie, dit la femme en tendant la photo à Kat et Hale, comme une offrande.

Kat se pencha pour regarder l'image de cette petite fille en robe blanche, debout, au milieu des trésors d'une reine.

— Que s'est-il passé ? demanda Hale.

— Kelly… est arrivé, expliqua le petit-fils, et l'évocation de ce nom suffit à faire disparaître le sourire qui éclairait le visage de la femme.

— Je ne l'ai jamais aimé, on devrait toujours faire confiance à l'instinct des enfants, dit-elle en riant doucement. Mais je suppose que vous savez déjà cela.

Kat opina, lui faisant signe de continuer.

— Eh bien, mes parents ont trouvé cette chambre, un trésor inestimable, l'aboutissement de leur carrière, ils étaient fous de joie. Mais, trois jours plus tard, au cours du travail de documentation, ma mère, qui était enceinte de mon frère, a commencé à avoir des contractions. Ç'a été terrible. Nous avons failli les perdre tous les deux. Mon père avait un jeune assistant, à qui il confia la tâche de surveiller les travaux pendant l'hospitalisation de ma mère. Mes parents sont partis pendant deux semaines. *Deux semaines…* ajouta-t-elle dans un murmure à peine audible. Savez-vous à quel point votre vie peut changer en deux semaines ?

Kat sentit la jambe de Hale contre la sienne sous la table, mais aucun d'eux ne prononça une parole. C'était inutile.

— Il a tout pris, mademoiselle Bishop. Pendant les deux semaines où ma mère se trouvait entre la vie et la mort, l'assistant de mes parents les a dépouillés du fruit de leur travail.

— Il a revendiqué la découverte du trésor ? supposa Kat

— Pire, dit la femme. Il a tout emporté et a commencé à revendre les pièces sans les examiner, sans les répertorier ni les cataloguer. Les objets ont été entassés dans des bateaux à vapeur, et ont sillonné la Méditerranée. Cette découverte historique a été vendue aux plus offrants, à une époque où les gens payaient le prix fort pour les trésors des rois. Ou des reines en l'occurrence.

La femme sortit alors un mouchoir, mais ne pleura pas. Elle observa Kat et Hale, et ajouta :

— Mes parents ont été discrédités, ils se sont retrouvés sans un sou, et sont devenus la risée du milieu. La découverte de leur vie s'était évanouie – volée par la personne en qui ils avaient le plus confiance.

— Mais ils en avaient sûrement parlé à des gens ? dit Hale qui n'arrivait pas à cacher son scepticisme. Il y avait bien quelqu'un qui était au courant de leurs recherches et de ce qu'ils avaient trouvé…

— Oh, c'était un lieu isolé, M. Hale. C'était une époque très dangereuse. Il y avait des escrocs partout, les gens pillaient les tombes à la recherche de trésors. Les véritables archéologues ne parlaient pas de leurs travaux. Garder le secret était primordial.

— Mais après…, commença Kat.

La femme haussa les épaules :

— Après ? Après, ils ont été ruinés, abandonnés. Après, ils n'avaient plus que leur fierté et leurs enfants, mademoiselle Bishop… Mon frère et moi sommes tout ce qu'ils ramenèrent de tout ce sable, et bientôt moi aussi je retournerai à la poussière.

Elle inspira profondément et ses mains délicates serrèrent le mouchoir plus fort.

— Il est trop tard pour que mes parents récupèrent leurs biens. Mais il n'est pas trop tard pour que l'Égypte récupère ce qui lui appartient.

Elle posa ses mains à plat sur la table et se pencha en avant, le regard fiévreux. Celui d'une femme qui a un projet, un plan.

— Il y a un musée au Caire qui reprendra la pierre si je peux la leur livrer. Cela fait plus de un siècle qu'elle devrait y être. Mais mieux vaut tard que jamais…

Elle se tut. Elle étudia Kat attentivement et déclara :

— Ce doit être une sensation merveilleuse de prendre quelque chose de beau et de le remettre à sa place légitime. N'est-ce pas, Katarina ?

— Que…

Kat hésita.

— Qu'est-ce que Visily Romani vous a dit sur moi ?

— Que vous volez des objets.

À nouveau, la femme eut un petit rire. Kat tenta de retrouver dans le regard de la vieille femme celui de la petite fille de la photographie, mais trop de temps, de soleil et de sable s'étaient amoncelés entre elles.

Hale se redressa sur son siège.

— L'assistant de vos parents s'appelait Kelly ?

— Oui, répondit la femme en souriant tristement.

— Oliver Kelly ? insista Hale.

La femme se mit à rire et chercha le regard de Kat.

30

– Oui, Katarina, le fondateur de la plus célèbre société de vente aux enchères de la planète était un lâche, un pillard… un *voleur*.

Dehors, une pluie froide tombait. Kat pouvait entendre le bruit des gouttes de pluie qui s'écrasaient sur la vitre du restaurant, et elle pensa à Varsovie, au regard d'Abiram Stein quand il évoquait la guerre, les nazis et les œuvres d'art.

– Regardez ce portrait, Katarina.

La femme fit glisser le cliché sur la table.

– C'est un charmant…

– Regardez mieux.

Kelly. L'Égypte. Cléopâtre. Les mots emplissaient la salle, comme l'arôme du café et le son de la pluie. Kat regarda la photo sur laquelle figurait une petite fille dans une longue robe blanche, au milieu d'une pièce décorée, deux mains bronzées, et la plus grosse pierre précieuse que Katarina Bishop ait jamais vue.

– Est-ce…

– Oui.

– Alors c'est…

Le petit-fils avala sa salive en murmurant un « oui » hâtif.

– Et vous voulez que nous…

– Votre ami M. Romani nous a assuré que vous étiez parfaitement qualifiés. Si c'est une question d'argent, j'ai bien peur que nous ayons investi le peu que nous avions dans nos démarches judiciaires, mais nous possédons des biens que nous pouvons vendre. Ceci… (la femme porta la main à un médaillon antique accroché à une chaîne autour de son cou), je connais un marchand qui m'en donnerait cinq cents livres.

– Ce n'est pas une question d'argent, dit Kat. C'est juste que… vous voulez que nous retrouvions et que nous volions l'Émeraude de Cléopâtre ?

– L'Émeraude de Cléopâtre ? répéta Hale.

– Eh oui…

Pour la première fois, le petit-fils décrocha un sourire.

– … Celle qui est maudite.

CHAPITRE 5

Il leur importait peu qu'il pleuve lorsque Kat et Hale quittèrent le restaurant, c'est pourquoi ils firent signe à Marcus qu'ils n'avaient pas besoin de la voiture. Il leur était agréable, quelque part, de marcher dans le vent froid, le col de leur manteau relevé, tremblant dans le brouillard glacé. Après tout leurs esprits étaient ailleurs, sur le sable d'Égypte.

Au pays des malédictions.

– Ils étaient sympas.

Hale gardait ses mains dans les poches, levant son visage vers le ciel, l'exposant à la pluie.

– Oui, répondit Kat.

– Ça nous change un peu, la gentillesse.

Kat éclata de rire et tourna automatiquement dans une petite rue.

– Ouais.

– Mais c'est risqué.

– Eh oui !

– Ils ont vraiment l'air d'avoir besoin d'un coup de main.

– De la part de quelqu'un de bien, enchaîna Kat.

– De la part de quelqu'un de stupide.

Hale s'arrêta si brutalement qu'elle le dépassa. Elle dut se retourner lorsqu'il poursuivit :

– Mais nous ne sommes pas stupides, n'est-ce pas, Kat ?

– Non. Bien sûr.

– Il est donc absolument hors de question que nous acceptions ce job, n'est-ce pas ?

– Bien sûr, dit Kat tandis que la pluie redoublait, drue et glacée.

Hale l'attrapa par la main et l'attira à l'abri sous un porche familier.

Elle frissonna, le dos contre la porte de bois, alors Hale se rapprocha pour l'abriter davantage de la pluie et du vent, tout en cherchant son regard.

Les fenêtres de la demeure en pierres brunes n'étaient pas éclairées, la rue était vide. Il n'y avait pas de circulation, pas de nourrices poussant des landaus, ni de piétons rentrant chez eux. C'était comme si Kat et Hale étaient les deux seules personnes à New York City. Ils pourraient voler tout ce qu'ils voudraient.

Mais je ne veux plus rien voler, pensa Kat. *Rien du tout.*

– Il n'y a personne à la maison, lui dit-elle.

La pluie dégoulinait aux coins de sa bouche.

– On pourrait crocheter la serrure, ouvrir une fenêtre avec une pince-monseigneur...

– Tu sais, je parie qu'il y a une clé planquée quelque part, essaya-t-elle de le taquiner.

Mais Hale s'était rapproché davantage. Elle ne voyait pas la rue. Elle ne sentait pas la pluie. Son passeport était dans sa poche, et quand il se pressa contre elle, elle sentit presque la brûlure des tampons de la douane, qui révélaient au monde entier qu'elle était partie de chez elle depuis très longtemps.

Les mains de Hale étaient sur son cou, chaudes, puissantes et rassurantes.

C'était étrange, nouveau et différent.

Kat craignit d'être partie trop longtemps.

— Kat, soupira-t-il, son souffle chaud contre la peau de la jeune fille. Si tu veux faire ce coup, ne songe même pas à voler cette émeraude sans moi.

Kat tenta de se dégager, mais la porte contre son dos l'empêchait de bouger.

— Je ne vais pas…

Elle ne put achever sa phrase parce qu'elle bascula en arrière. On avait ouvert brusquement la porte. Elle essaya en vain de se raccrocher à Hale, se retrouva allongée sur le dos dans le vestibule.

— Salut, Kitty Kat !

La jeune voleuse releva les yeux sur une longue paire de jambes familières et une jupe courte. Sa cousine Gabrielle croisa les bras :

— Bienvenue à la maison.

Kat n'avait pas réalisé à quel point elle avait froid jusqu'au moment où elle s'était retrouvée par terre, sur le sol de la vieille demeure familiale. Il n'y avait pas de feu dans la cheminée, pas de lumière dans le salon ni dans les escaliers. Pendant une seconde, elle eut l'impression d'être au boulot, comme si elle était chez quelqu'un d'autre. Et qu'elle n'aurait pas dû y être.

– Nous ne savions pas qu'il y avait quelqu'un à la maison, dit Kat.

– Je m'en doute ! dit Gabrielle en éclatant de rire.

Même dans l'obscurité, Kat aperçut une petite lueur dans les yeux de sa cousine. Mais une lueur de quoi, elle n'osa pas le demander. Elle se contenta de la regarder déambuler le long du couloir, à travers les ombres, aussi légère qu'un fantôme.

Lorsque Kat la suivit, Hale lui emboîta le pas, et ce fut comme si d'un seul coup, la vieille maison avec ses parquets grinçants mugissait dans la tempête. Elle lui semblait trop grande. Trop sombre. Trop vide.

– Ouah ! Il est vraiment parti, dit Hale, l'air contrit.

– Ouais.

Gabrielle qui était arrivée près de la cuisine, s'esclaffa :

– J'ai l'impression que l'oncle Bobby n'était pas très content non plus, personne n'aurait pu penser qu'Eddie serait allé au Paraguay. Mais vous avez déjà tout entendu sur cette histoire, j'imagine.

Elle observa sa cousine dans la faible lumière.

– Tu as parlé avec ton père, n'est-ce pas ?

– Oui évidemment, dit Kat, en cherchant l'interrupteur.

Quand la lumière s'alluma, la jeune fille cligna des yeux. Elle s'attendait vaguement que son oncle apparaisse mystérieusement, une cuiller à la main, se plaignant qu'elle était en retard et que la soupe était froide.

– C'est comment, le Paraguay ? demanda Hale – n'ayant pas conscience du fantôme dont Kat percevait la présence autour d'elle et dans la cuisine, comme s'il avait toujours été là.

— Bien, je suppose, répliqua Gabrielle en haussant les épaules. Du moins, aussi bien que peut l'être un job aussi important. Où tout le monde doit mettre la main à la pâte.

Elle s'assit, mit ses pieds sur la table, et regarda sa cousine.

— Enfin, *presque* tout le monde…

Elle prit un couteau dans sa botte et une pomme sur le plateau de fruits et commença à la peler habilement, formant une seule longue spirale.

— Alors, est-ce que vous allez me raconter votre gros secret ?

Son regard allait de l'un à l'autre pour déceler leurs réactions.

— Parce que vous aviez l'air de comploter gentiment dehors tous les deux, à parler de je ne sais quoi. À moins vous n'ayez *pas* été en train de parler…

Kat sentit qu'elle rougissait, mais avant qu'elle puisse prononcer un mot, Hale ouvrit le réfrigérateur et déclara :

— Kat va voler l'Émeraude de Cléopâtre.

— C'est drôle, dit Gabrielle. Vraiment drôle, non ?

Kat fixait Hale d'un œil incandescent.

— Je n'ai jamais dit que j'allais le faire ! lui dit-elle. Je n'ai jamais dit…

— Bien sûr que si.

La porte du frigo claqua, et Hale se retourna.

— Je veux dire, c'est bien ce que tu fais, non ? Parcourir le monde, réparer les injustices. Un Robin des Bois féminin en quelque sorte !

Kat voulut répliquer, mais Gabrielle ôta ses pieds de la table brusquement et se pencha vers elle, le couteau à la main.

– Dis-moi qu'il plaisante, Kat... Dis-moi que tu ne penses pas *sérieusement* à voler l'Émeraude de Cléopâtre

– Non, dit Kat. Enfin... bon... nous venons de rencontrer cette femme qui nous a raconté que l'émeraude a été réellement découverte par ses parents...

– Constance Miller, répondit Gabrielle.

– Tu la connais ? demanda Kat.

– Je sais tout ce qu'il y a à savoir sur l'émeraude la plus précieuse au monde, Kat. *Je suis une voleuse.*

– Moi aussi, rétorqua Kat.

Mais sa cousine enchaîna :

– Je suis sérieuse. L'Émeraude de Cléopâtre fait quatre-vingt-dix-sept carats de folie !

– Je sais.

Kat entendait Hale ouvrir les portes des placards dans son dos.

– Où est le micro-ondes ?

– L'oncle Eddie n'a *pas* de micro-ondes ! répliquèrent les cousines à l'unisson et sans ironie.

On ne plaisantait pas avec ce genre de choses. Elles se regardaient fixement, chacune se tenant à une extrémité de la fameuse table en bois qui avait été le témoin de la préparation et le dénouement de la majorité des cambriolages que la famille avait commis.

C'était l'endroit idéal pour que Gabrielle s'exprime :

– Tu ne peux pas faire ça, Kat. Tu sais très bien que l'Émeraude de Cléopâtre est la pierre précieuse la mieux gardée de la planète. Elle n'a pas vu la lumière du jour depuis trente ans.

— Je sais, lui répondit Kat.

— N'importe qui, avec un minimum de bon sens, te dira que Constance Miller est une vieille recluse qui n'a quasiment plus d'argent.

Gabrielle toisa sa cousine, plus petite et plus pâle qu'elle :

— Elle doit d'ailleurs être vraiment au bout du rouleau pour venir vous trouver !

— Merci, dit Kat.

— Et surtout, continua Gabrielle, nous, les *vrais* voleurs, savons que l'Émeraude de Cléopâtre est maudite depuis le jour où celle-ci a pris la plus grande émeraude du monde et, dans un éclair de sagesse, a décidé de la partager en deux et d'en donner la moitié à Marc Antoine. Qui est parti se battre contre les Romains…

— Et a trouvé la mort, claironna Hale derrière elles.

— Cléopâtre a gardé l'autre moitié, continua Gabrielle.

— Et a trouvé la mort, répéta Hale.

— Et jusqu'à ce que ces deux pierres précieuses soient réunies, elles n'apporteront que la mort et la destruction à celui ou celle qui les possédera, conclut Gabrielle.

Elle se leva et se rapprocha de sa cousine.

— Alors n'importe quel bon voleur sait que ces pierres sont maudites, Kat.

— Ça n'existe pas, les malédictions, se défendit Kat, mais sa cousine, plus grande qu'elle, croisa les bras et la regarda de haut, si bien que Kat se sentit particulièrement minuscule.

– Alors comment expliquer ce qui est arrivé quand l'oncle Nester est allé à sa recherche en 1979 ?

– Les lasers brûlent les choses, Gabrielle. Ce n'est pas à cause de l'émeraude. Oncle Nester avait deux mains gauches.

– Et les frères Garner, en 1981 ?

– Moi je dis que celui qui pense qu'un simple câble de rappel pour touriste peut supporter le poids de deux adultes *et* d'un mulet, mérite de tomber du haut d'une falaise.

– Et l'équipe des Japonais en 2000 ?

– On doit toujours avoir un défibrillateur sur soi quand on veut faire le coup de la Belle au bois dormant. Tout le monde sait ça. Et d'ailleurs, l'oncle Eddie s'en foutait des malédictions quand il est parti à sa recherche en 1967, plaida Kat.

Gabrielle la coupa froidement :

– Oui, mais maintenant ça l'inquiète un peu.

– Qu'est-ce qui s'est passé en 1967 ? demanda Hale, mais les filles ne lui prêtèrent pas la moindre attention.

Gabrielle, imperturbable, poursuivit froidement son argumentation :

– Kitty Kat, l'essentiel pour moi c'est que l'oncle Eddie – à ma connaissance le plus grand voleur actuellement encore en vie –, dise que l'Émeraude de Cléopâtre ne doit *pas* être volée... Ce qui prouve que ce qui s'est passé en 1967 a suffi à le terrifier. Alors je le crois quand il affirme que les tentatives de vol de ce bijou finissent mal. Kat, elles finissent toujours mal.

Elle se laissa tomber dans son fauteuil et croisa ses longues jambes.

– J'ignore quel mélodrame vous a joué Constance Miller, ou comment cette femme qui n'a pas quitté sa maison depuis des années a fait pour vous trouver, et pourquoi…

– Visily Romani, murmura Kat à l'attention de Gabrielle, qui écarquilla instantanément les yeux. Ils connaissaient le nom de Romani. Ils ont dit que c'était Visily Romani qui les avait envoyés.

Il était facile d'oublier qu'il y avait des choses qui avaient plus de vécu encore que la table de cuisine de l'oncle Eddie, mais en entendant résonner le nom mythique, Gabrielle posa ses mains sur le bois buriné. Deux mots surgirent dans l'esprit de Kat : *pseudonyme chlovèque.*

L'Homme Alias, lui avait traduit l'oncle Eddie un jour. Kat s'assit, pensant aux noms anciens, aux noms sacrés. Des noms empruntés depuis des centaines d'années, mais seulement par les plus grands voleurs, et seulement pour les causes les plus louables. Kat tremblait, car elle savait que désormais l'Émeraude de Cléopâtre faisait partie de ces grandes causes.

– Il est là, quelque part, dit-elle. Cet homme qui se fait appeler Romani est là, quelque part, et il m'a envoyé ces personnes parce que je peux les aider. Il pense que je peux le faire. Que je peux…

– Pas seulement toi, Kat, *nous*, lança Hale en s'asseyant au bout de la table. Si *tu* le fais, alors *on* le fait.

– Bien sûr. Oui, *nous*. Ce n'est pas ça qui compte, dit Kat en secouant la tête. Le bijou de Cléopâtre est caché quelque part en Suisse. Et même si nous pouvions le trouver… Quoi ? Qu'est-ce que vous regardez comme ça ?

Gabrielle regarda Hale, qui secouait la tête alors qu'elle

faisait le tri dans le paquet de lettres et de courriers non ouverts qui s'étaient entassés à l'autre bout de la table.

– Tu as été absente longtemps, Kitty Kat.

Gabrielle lui désigna un journal qu'elle fit glisser sur la table, dont la une annonçait que la société Kelly allait finalement rapatrier son bien le plus précieux.

Rapatrier.

À New York.

Kat sentit son cœur s'emballer, comme elle observait d'abord Gabrielle, puis Hale.

– Alors… quoi ? demanda Hale. J'imagine qu'on va aller voler l'émeraude, maintenant ?

Il y avait une chambre en haut des escaliers, avec des rideaux blancs et des lits jumeaux recouverts d'une couette assortie. Elle comportait également une commode, et une étagère pleine de romans défraîchis, qui racontaient les aventures de Nancy Drew, une adolescente détective. Kat avait toujours pensé que cette chambre détonnait avec le reste de la maison. Y pénétrer, c'était comme débarquer dans un autre monde – avec une boîte à musique et un téléphone rose archaïque à manivelle. C'était une alcôve minuscule pour jeunes filles, enchâssée dans un monde complètement masculin.

Quelqu'un, un jour, avait brodé le prénom *Nadia* sur un oreiller, et Kat, allongée sur le lit, le serrait dans ses bras, les yeux rivés au plafond. Elle se sentait si petite sur le lit de sa mère, essayant de se mettre à la place de l'absente.

– Alors, dis-moi pour Hale…

Kat se retourna et vit la silhouette de Gabrielle sur le seuil de la porte. Elle la regarda se diriger vers l'autre lit et s'y allonger, la tête sur un oreiller qui portait une inscription brodée au nom d'*Irina*.

– Quoi, Hale ?

– Qu'y a-t-il entre vous deux ?

– Il n'y a rien ! répondit Kat, un petit peu trop précipitamment.

– Ouais, c'est ça, à d'autres ! Moi j'avais l'impression que vous étiez un peu plus que copains-copains tous les deux. Et voilà que vous êtes séparés la moitié du temps. Et il est… très en colère.

– Pas du tout.

– Je te jure que si, dit Gabrielle en riant. Il n'aime pas te voir partir faire des casses toute seule.

Kat s'apprêta à protester mais sa cousine ajouta :

– Et il n'est pas le seul.

Kat ne savait vraiment pas quoi dire, alors elle se tourna sur le côté et ferma les yeux. Elle ne réalisa que Gabrielle avait traversé la chambre qu'au moment où elle sentit sa cousine s'installer sur le matelas à côté d'elle.

– Alors, pourquoi fais-tu cela ?

– Je… bafouilla Kat, cherchant ses mots dans l'obscurité. Ce sont des coups faciles, Gabrielle.

– Au départ, peut-être, mais à Rio c'était risqué.

– Qui t'a parlé de Rio ?

– Tout le monde est au courant pour Rio. On aurait pu te donner un coup de main.

La gorge de Kat s'assécha subitement.

– Je n'avais pas besoin d'aide.

– Et à Moscou ? continua sa cousine. Tu n'avais peut-être pas *besoin* d'aide, mais quand on s'attaque au KGB, il est plus prudent d'assurer ses arrières, au cas où. Alors la question est la suivante : pourquoi ne l'as-tu pas fait ?

Les coudes sur ses genoux, Gabrielle gambergeait en se tapotant le menton.

— Gabrielle, je suis…

— Accro ! s'exclama Gabrielle, qui se redressa brusquement, droite comme un i, au moment où elle en prit conscience.

— Ça ne m'est jamais arrivé de ma vie ! répliqua Kat, ce qui provoqua l'hilarité de Gabrielle.

— Non, mais tu es accro au casse depuis le musée Henley, Kitty Kat !

Kat essaya de s'extraire du lit, mais le poids de Gabrielle sur les couvertures l'en empêcha.

— Dis-moi que tu n'as pas eu un flash quand tu as franchi l'entrée principale du musée avec ces tableaux… Dis-moi que tu ne planais pas, que tu n'as pas ressenti ce frisson, ce vertige, en piquant un Cézanne au nez des pontes de la moitié du KGB… Pas étonnant que tu ne veuilles pas emmener Hale avec toi.

Elle secoua la tête.

— Il est parfois plus facile d'entretenir une relation avec un garçon lorsqu'il est à l'autre bout de la planète.

— Hale et moi, on n'est pas…

Mais Kat s'arrêta, car elle ne savait pas comment terminer sa phrase.

— Tu ne sais pas de quoi tu parles, Gabrielle, protesta-t-elle, mais sa cousine secoua la tête.

— Je t'assure que si, répliqua Gabrielle offensée. Notre existence repose sur l'adrénaline, et notre façon de la gérer.

Nous avons des noms différents dans différentes villes. C'est une vie beaucoup plus simple quand il n'y a personne pour nous dire que nous faisons erreur. Crois-moi, ma chère cousine (Gabrielle se releva et s'étira), je le sais mieux que quiconque.

Kat s'était souvent demandée ce qui se passait à l'intérieur de la très belle tête de sa cousine... apparemment beaucoup plus de choses qu'il n'y paraissait.

– Écoute, Gabrielle. Ce sont mes jobs – ma décision. Il n'y avait rien à y gagner – pas de rémunération – alors je n'avais aucune raison de demander à qui que ce soit de prendre des risques. Et puis je ne suis pas une accro.

– Ben voyons ! dit Gabrielle, en hochant lentement la tête. Et il y a six mois, tu quittais le lycée Colgan en jurant que tu ne volerais plus jamais.

Elle traversa la chambre de long en large.

– Tu es à côté de la plaque, Kitty Kat. Et la moindre des choses, c'est de l'admettre.

Kat se retourna et regarda le plafond à nouveau. Elle prit son temps pour demander :

– Hale... il est furieux comment?

Gabrielle se glissa dans le lit et jeta un coup d'œil en direction de sa cousine, dans le noir.

– Pour une voleuse de génie, t'es vraiment trop idiote, je t'assure.

– Ouais, répondit Kat en fermant les yeux, c'est vrai.

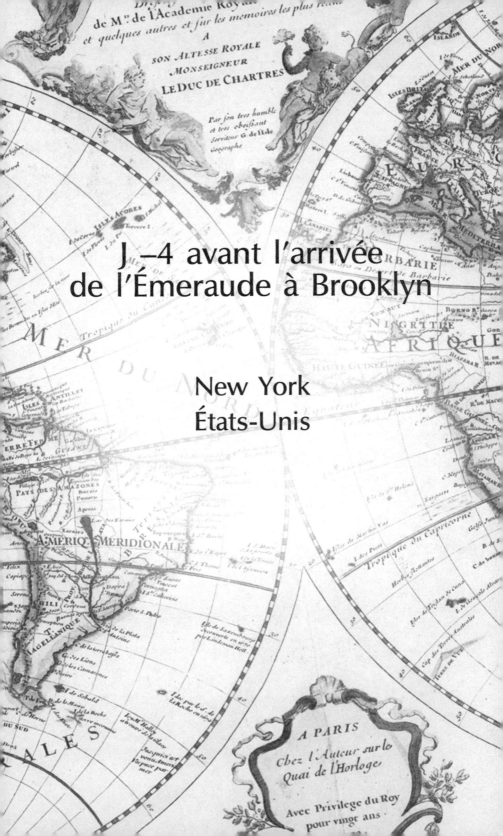

J –4 avant l'arrivée
de l'Émeraude à Brooklyn

New York
États-Unis

CHAPITRE 6

– Je m'appelle Ezra Jones.

Kat prit son temps pour observer les traits de celui qui la dévisageait également depuis l'autre bout du salon poussiéreux.

L'homme avait des sourcils blancs broussailleux, un regard noir, un bouc parfaitement taillé et un sourire pour le moins hypocrite.

– Pouvez-vous prouver votre identité ? lui demanda-t-elle.

– Bien entendu, répondit-il en riant.

Il se leva et lui tendit une carte de visite au nom de *Chamberlain & King, compagnie d'assurances, Londres, Angleterre.*

– Voilà, mademoiselle, ajouta-t-il en lui présentant un passeport britannique qui ne comportait pas de photo, remarqua Kat. En revanche, son accent était impeccable.

– Alors de quoi j'ai l'air ? demanda l'homme.

– D'un vieux, dit Gabrielle en se rapprochant de lui

pour rajouter du maquillage aux coins des lèvres. Mais pas encore assez vieux.

– Moi, ça me paraît bien, remarqua Kat.

Hale afficha un grand sourire.

– Je m'en souviendrai.

– Je n'en doute pas, Ezra. Mais dis-moi, le vrai M. Jones est…

– Ravi ! l'interrompit-il en inspectant à nouveau le portefeuille de l'homme. Apparemment, quelqu'un de la compagnie Hale l'a rencontré à l'aéroport ce matin et lui a offert le job de sa vie dans les îles Caïmans. En fait, il a appelé Londres il y a une demi-heure depuis le jet de la compagnie Hale, et a démissionné.

– Dommage que sa compagnie ne puisse pas recevoir le message ! dit Gabrielle

– Dommage, renchérit Hale.

– Et qu'il ait perdu son portefeuille… ajouta Kat.

Hale releva un sourcil.

– Une vraie tragédie !

Quand il glissa l'étui de cuir dans la poche intérieure de sa veste de costume, les deux filles le regardèrent. Kat avait tiré les doubles rideaux, et la lumière entrait dans la pièce, révélant l'épaisse poussière qui s'était déposée sur le mobilier démodé, éclairant une imitation parfaite d'un Rembrandt, accrochée depuis des lustres au-dessus du manteau de la cheminée.

– Kat, qu'est-ce qu'on va faire pour ses épaules? demanda Gabrielle en essayant de tirer sur les manches de la veste. Mais tout cela était trop musclé, visiblement.

– Et pour la brioche, dit-elle en lui tapotant l'estomac.

– Hé, je n'ai jamais reçu de critiques concernant cette partie de mon anatomie, dit Hale avec suffisance.

– Justement, s'écria Gabrielle, est-ce que ça te tuerait de manger deux ou trois muffins de temps en temps, histoire d'étoffer un peu tout ça ?

Kat se rongeait les ongles, en tournant autour de Hale pour l'examiner de la tête aux pieds.

– Il a les mains qui dépassent, remarqua Gabrielle.

– La posture ne colle pas, dit Kat.

– Il est encore trop… sexy, ajouta Gabrielle, comme si c'était la pire insulte au monde.

– Je proteste. Je ne suis pas un homme-objet ! s'offusqua faussement Hale tandis que les filles continuaient à le dévisager.

– Il pourrait faire illusion de loin, mais en y regardant de plus près, attentivement…

Kat semblait perdue dans ses pensées.

– Tu n'aurais pas pu trouver quelqu'un de plus jeune ? demanda Gabrielle.

– C'est déjà un miracle que j'aie trouvé ce type.

Hale montra du doigt les papiers d'identité éparpillés sur la table.

– On n'a pas le choix ! Il nous faut soit voler les papiers de quelqu'un de plus jeune, soit trouver un vieux pour jouer le rôle de celui-là, répliqua Gabrielle.

– Non, l'interrompit Kat. L'oncle Eddie doit rester en dehors de ça.

Gabrielle croisa les bras.

– Mais il serait parfait pour faire ce vieux !

– On devrait peut-être lui téléphoner, Kat, suggéra

Hale. Où allons-nous pouvoir trouver un vieux présentable en moins de vingt-quatre heures ?

– Excusez-moi, mademoiselle ?

Kat se retourna en entendant la voix douce qui l'interpellait. Pendant une seconde, elle crut avoir une hallucination : son regard allait de la photo d'Ezra Jones, sur la table, au visage de Marcus qui se tenait sur le seuil de la porte. Ils avaient les mêmes yeux, le même teint, la même couleur de cheveux et la même allure, celle de ces gens gravitant dans les sphères de la fortune et du pouvoir – toujours présents, mais à distance respectable, toujours prêts à servir – toute une vie durant.

Marcus prit une grande inspiration.

– Votre dîner est prêt.

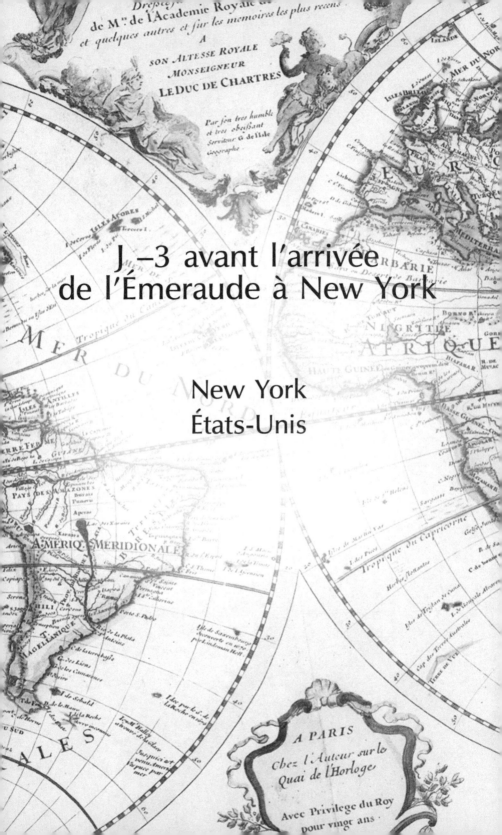

J −3 avant l'arrivée
de l'Émeraude à New York

New York
États-Unis

CHAPITRE 7

L'Émeraude de Cléopâtre n'était pas maudite – tout le monde dans la Société de ventes aux enchères d'œuvres d'art et d'antiquités Oliver Kelly était d'accord sur ce point. Après tout, une émeraude – quelle que soit sa taille – ne pouvait avoir causé le naufrage du bateau d'Oliver Kelly, premier du nom, dans des eaux peu profondes au large de la Nouvelle-Écosse. Et une fois que la pierre avait été sertie dans le platine et offerte à une héritière des chemins de fer de Buenos Aires, il était inimaginable qu'un collier – quel que soit son poids – ait pu faire perdre la tête, littéralement, à sa malheureuse détentrice, dans un terrible et tragique accident d'engin à vapeur.

Bien entendu, il était impossible de nier que le propriétaire suivant avait fait faillite. Que le petit pays qui ajouta la pierre aux joyaux de la couronne fut envahi. Et que le musée qui avait abrité le bijou de Cléopâtre pendant une courte période avait brûlé entièrement du sol au plafond.

Mais il n'y avait pas de malédiction. Tout le monde chez Kelly Corporation l'affirmait.

– Il n'y a pas de malédiction, M. Jones.

– Bien sûr que non ! dit Hale avec un rire guttural en donnant une tape dans le dos à Marcus. Celui-ci ne dit pas un mot, comme prévu.

– Mais, M. Kelly, en tant qu'assureur en titre du bijou de Cléopâtre, M. Jones pense qu'il serait préférable que la pierre reste à l'endroit où elle se trouve.

– Excusez-moi, l'interrompit Kelly, qui êtes-vous exactement ?

– Eh bien, comme je vous l'ai dit au téléphone, M. Kelly, je m'appelle Colin Knightsbury. Je suis l'assistant personnel de M. Jones.

Kelly sembla considérer cette information avant de se retourner et de déclarer :

– Très bien.

Hale n'était pas petit, ni nonchalant, ni difforme, et pourtant il avait visiblement du mal à suivre Oliver Kelly le troisième dans les couloirs impeccablement cirés du troisième sous-sol et les corridors étincelants. Ça ne ressemblait pas à un endroit glauque et obscur où l'on fait du marché noir et des affaires illicites, mais comme W. W. Hale l'avait appris très tôt, on ne veut jamais vraiment savoir d'où vient l'argent.

– Et comme je vous l'ai dit au téléphone, chez *Chamberlain et King* nous pensons qu'il peut être dangereux de déplacer la Cléopâtre. Si vous pouviez donc retarder…

Kelly s'arrêta brusquement et fit face aux deux hommes.

– Je suis certain que vous aimeriez que je retarde la

transaction, mais étant donné qu'il s'agit de ma pierre, je pense que je ferai selon mon bon plaisir.

— Avant sa mort, insista Hale, votre père tenait beaucoup à ce que cette pierre ne soit pas montrée au public, et...

— Mon père a hérité de cette compagnie, l'interrompit Kelly d'un ton brusque, désignant des personnes et des choses qui se trouvaient le hall. Et vous savez ce qu'il en a fait ? Rien, M. Jones ! Il s'est contenté de préserver ce que mon grand-père avait construit – et c'est tout ! Je ne pense pas que vous puissiez comprendre ce que cela signifie d'être dans une famille qui fait des affaires comme la mienne ; mais la tâche des générations futures n'est pas de *préserver* le capital. La seule grande décision que mon père ait prise a été d'acheter la Cléopâtre il y a trente ans, et ensuite il l'a mise sous clé Dieu sait où...

— En Suisse, répliqua Hale.

— Quoi ?

— Selon nos renseignements, la pierre se trouve dans un coffre hautement sécurisé, dans une banque suisse.

— Oui, je suis au courant, répliqua Kelly sèchement, et il pressa le bouton de l'ascenseur.

— Le problème c'est que personne ne l'a jamais vue. Moi-même je ne l'ai jamais vue. C'est le bien le plus précieux de cette société, et la seule chose que cette pierre ait pu amasser pendant ces trente dernières années, c'est de la poussière, en attendant que sa sœur jumelle et elle soient réunies afin de briser cette malédiction ridicule.

— Évidemment, évidemment, reprit Hale.

Kelly le regarda comme pour lui signifier *c'est à votre*

patron que je m'adresse. C'est alors que Hale s'approcha de lui.

– Veuillez pardonner M. Jones, M. Kelly, murmura-t-il tandis que Marcus se tenait à trois pas derrière eux, stoïque, silencieux comme une tombe. Il est capable de repérer la plus petite faille dans le système de sécurité d'une société, la plus petite erreur. Je suis ici pour m'assurer que M. Jones ne soit pas distrait. Cet homme est un génie, voyez-vous. Et quand M. Jones dit qu'il vaudrait mieux attendre…

Un tintement retentit, et les portes de l'ascenseur s'ouvrirent.

– *Mon grand-père* était un génie, rétorqua Kelly. Un visionnaire.

Hale entra dans l'ascenseur, souhaitant secrètement que le type ait le courage d'ajouter « un voleur ».

– Cette pierre est l'emblème de ma société, dit Kelly, et il n'est pas question qu'elle reste enfouie sous terre. Pas avec moi.

Les portes se refermèrent et Hale ne put s'empêcher d'observer le reflet d'Oliver Kelly troisième du nom – son costume fait sur mesure, le nœud de cravate, les boutons de manchettes anciens et les mocassins italiens en cuir de vachette : des accessoires luxueux, destinés à montrer aux autres qu'il n'était pas quelqu'un d'ordinaire. Et il n'avait que vingt-neuf ans. Hale ne l'aurait peut-être pas haï autant s'il ne lui était pas arrivé quelque chose qui avait changé sa vie deux ans auparavant. Il serait peut-être devenu comme lui, s'il n'avait pas été à la maison la nuit où Kat était venue voler son Monet.

– Oui, M. Kelly, renchérit Hale, heureux de ne pas lui ressembler. Je comprends tout à fait.

– Bien.

Lorsque les portes de l'ascenseur s'ouvrirent, Kelly se retourna et tendit la main à Marcus.

– Merci d'avoir pris la peine de venir, M. Jones. J'apprécie mais, comme vous avez pu le constater, nos papiers sont en ordre et notre niveau de sécurité – il désigna la salle d'exposition située au centre du bâtiment, avec ses vitrines illuminées, ses caméras et ses gardes – ne pourrait être plus élevé, alors je crains que vous n'ayez fait le déplacement pour rien.

– En effet.

Hale serra la main qu'il lui tendait, un peu plus fort et un peu plus longtemps que Kelly ne s'y attendait.

– À quoi pensez-vous, M. Jones ?

Marcus balaya la pièce du regard. D'une voix stoïque et froide il déclara :

– Je crois que la dernière fois que j'ai entendu cela, c'était au musée Henley.

Hale regarda Oliver Kelly le troisième frissonner à cette évocation. Il blêmit, sa mâchoire se crispa.

– Au Henley ?

– Oh oui, dit Hale. Ils nous ont assuré que personne ne pourrait jamais voler l'*Ange retournant au paradis*, et nous les avons crus. Mais nous nous sommes tous trompés, sans aucun doute, n'est-ce pas, M. Kelly ?

L'honnêteté était une chose rare dans les affaires d'Oliver Kelly. Les gens négociaient. Les marchands étaient des menteurs. Il ne savait comment réagir face à quelqu'un qui était prêt à admettre ses erreurs, alors il ne dit rien, il se contenta d'attendre.

— Et bien entendu ils étaient persuadés aussi que leurs papiers étaient en règle, et maintenant... Hale suspendit sa phrase, puis conclut en jetant un coup d'œil à Kelly :

— Bon, je me garderai de tout commentaire, mais disons qu'ils attendent encore d'être indemnisés. Quand il s'agit d'une pièce comme l'Émeraude de Cléopâtre – d'une telle valeur culturelle et financière...

— Elle n'est pas maudite, ajouta Kelly, de façon automatique.

— Non, bien entendu. Mais si vous le permettiez, ajouta Hale en mettant ses mains dans son dos et en souriant chaleureusement, M. Jones aimerait commencer par visiter le sous-sol.

— Et qu'en est-il des caméras à cet étage ? demanda Hale vingt minutes plus tard.

— Même chose qu'à l'étage précédent, affirma le chef de la sécurité, qui se trouvait à la droite de M. Kelly.

Ce dernier regardait Hale prendre des notes détaillées et faire des centaines de photos.

— Et ces fenêtres ? demanda Hale, sont-elles sous surveillance ?

— Elles sont équipées de détecteurs de bris de glace.

— À l'épreuve des balles ?

— Bien entendu ! répondit le chef de la sécurité, l'air offensé.

— Excellent...

Hale prit une autre photo, puis consulta son bloc-notes.

– Alors je pense qu'il ne nous reste plus que la chambre forte. Le numéro de ce modèle est bien...

– Pardonnez-moi, M. Jones, l'interrompit Kelly, mais je suis certain que cette information figurait dans notre rapport trimestriel.

– Oui, Hale s'avança pour répondre. Et le trimestre dernier, il était prévu que l'Émeraude de Cléopâtre demeure en sécurité de l'autre côté du monde, alors pardonnez-nous d'insister à nouveau sur ce sujet.

Il se tourna vers le chef de la sécurité :

– Le modèle de capteur sur cette porte...

– Helix 857J, affirma l'homme sans broncher.

– Je vous assure messieurs, reprit M. Kelly, que notre société est tout à fait consciente de la valeur de cette émeraude, et que nous avons pris toutes les précautions nécessaires à sa protection...

– *Votre* émeraude ? Hale inclina la tête. Est-ce que tout le monde est d'accord à ce sujet ?

L'homme rougit.

– Bien entendu. Qui d'autre pourrait...

Hale regarda Kelly droit dans les yeux et dit :

– Parlez-moi de Constance Miller.

– La question de Mme Miller est une affaire qui concerne notre département juridique, pas la sécurité. Je peux vous assurer que cette prétendue histoire concernant la Cléopâtre n'a rien à voir avec sa sécurité.

– Oui, sourit Hale. Nous avons déjà entendu la même chose au musée Henley.

– Écoutez monsieur...

– Knightsbury, dit Hale, mais Kelly enchaîna :

– Constance Miller est une solitaire. Elle est âgée.

– Est-ce qu'elle a des amis ? demanda Hale.

– Vous voulez dire des amis qui pourraient l'aider à voler une émeraude ? s'esclaffa Kelly comme si c'était la chose la plus drôle qu'il ait entendue depuis longtemps, je ne crois pas, non.

– De la famille ?

– Oui. Un petit-fils, il me semble.

– A-t-elle porté plainte, monsieur ?

Kelly ricana.

– Aucune plainte recevable. Les meilleurs tribunaux de deux pays statuent ainsi depuis une douzaine d'années.

– Pourtant, demander la même chose pendant douze ans, ça n'est pas rien M. Kelly.

– Oui, mais...

– S'entendre dire *non* pendant si longtemps...

Non était un mot qu'Oliver Kelly le troisième semblait n'avoir jamais entendu. Le jeune homme paraissait incapable de comprendre ce que cela signifiait d'entendre le même *non* pendant douze ans.

Kelly baissa le ton et conclut :

– Je devrais peut-être demander à ma secrétaire de monter un dossier...

Hale sourit.

– Oui, ce serait préférable.

– Excusez-moi, mademoiselle. Puis-je vous aider ?

Kat ne se retourna pas. Deux mètres plus loin, il y avait une vitrine pleine de rubis et de diamants – un pendentif supposé avoir appartenu à la Grande Catherine et une paire de boucles d'oreilles ayant été portées par Audrey Hepburn dans un film dont elle était la vedette. Mais tout cela n'avait pas beaucoup d'importance pour Kat. Celle-ci s'intéressait bien plus à une vitrine qui était vide.

– Qu'allez-vous mettre ici ? demanda-t-elle au vendeur.

– Oh, je crois que cet espace est réservé à quelque chose de très spécial... N'y touchez pas ! lança l'homme au moment où Kat y posa une main (tout en appuyant sur son support hydraulique et son socle en titane de l'autre).

– Mais qu'est-ce que ce sera ? l'interrogea Kat en mastiquant bruyamment son chewing-gum. Je pourrais avoir envie de l'acheter, vous savez. Mon anniversaire est pour bientôt, et mon père dit que je peux choisir ce que je veux. Peut-être que je voudrai l'objet qui ira ici.

Elle tapota sur le verre (et constata qu'on ne pouvait pas le percer, il faisait au moins trois centimètres d'épaisseur).

– Je crains qu'il ne soit pas à vendre.

Kat regarda dans toutes les directions (et nota les positions des caméras de surveillance sur le mur nord).

– Alors qu'est-ce que cela fait dans une boutique, si ce n'est pas à vendre ?

– Nous sommes un établissement de vente aux enchères, jeune fille, et il s'agit d'une pièce d'exposition qui sera présentée au moment opportun, s'il vous plaît ne faites pas cela ! réprimanda l'homme, saisissant la main de Kat à l'instant où elle la glissait sous la vitrine pour repérer la partie du socle sensible à la pression.

– Excusez-moi, dit Kat en bousculant un homme qui déambulait près des vitrines (elle constata qu'il portait un holster, il s'agissait donc d'un garde en civil).

– Mademoiselle, continua le vendeur, vous seriez peut-être davantage intéressée par notre collection de…

– Alors vous allez seulement l'*exposer* ?

Kat observa le sol rutilant de la salle d'exposition (et remarqua les détecteurs de mouvements ultraperfectionnés qui se trouvaient à la base du socle).

– Oui, effectivement…

– Je trouve ça injuste, maugréa-t-elle.

Kat jeta un dernier coup d'œil dans la salle, aux gardes, aux caméras, aux issues de secours et à la vitrine, puis elle fit demi-tour pour s'en aller.

– Mademoiselle, l'interpella le vendeur, je suis certain qu'il y a beaucoup d'autres objets qui sauront vous séduire dans votre gamme de prix.

Il fit un geste circulaire du bras pour désigner le reste des vitrines.

– Je vous remercie…

Dans l'angle de la salle, une horloge ancienne carillonna.

– … je crois que j'ai tout ce qu'il me faut.

– Tu es en retard.

Kat perçut la présence de sa cousine à côté d'elle, mais elle ne se retourna pas pour s'en assurer.

Elle était probablement la seule personne dans la rue ce jour-là à ne pas regarder la jeune fille mince avec ses grandes bottes noires et son imperméable élégant, mais cela n'avait pas d'importance.

Gabrielle désigna le catalogue de Kelly dans les mains de Kat.

– Alors, est-ce qu'on peut le faire ?

Kat prit une grande inspiration et mit la brochure dans sa poche.

– Pour le moment, je me demande surtout si nous *devons* le faire ou pas…

Elle jeta un coup d'œil vers sa cousine.

– Est-ce que tu as la clé ?

Gabrielle leva les yeux au ciel et lui montra discrètement la petite carte magnétique d'un hôtel près de Times Square.

– Bien sûr que j'ai la clé.

Elles auraient pu crocheter la serrure, descendre en rappel du toit, voler deux uniformes de femmes de chambre et un chariot de femme de ménage pour compléter l'équipement, mais Kat et Gabrielle étaient suffisamment intelligentes pour savoir que la plus petite distance entre deux points est une ligne droite. Dans ce cas, un simple vol à la tire.

Elles se rendirent donc à l'hôtel, traversèrent le hall et prirent l'ascenseur sans se faire remarquer ni prendre de risques inutiles, comme deux jeunes filles indépendantes lâchées dans la grande ville, et s'arrêtèrent devant la porte d'une chambre au septième étage côté couloir.

– Alors, comment s'est passée ta journée, Gabrielle ? lui demanda Kat.

– Est-ce que tu as une idée de la difficulté qu'il y a à suivre une vieille dame de quatre-vingts ans ? C'est trop dur, c'est tellement trop… lent !

Gabrielle frappa discrètement à la porte.

– Service d'étage ! annonça-t-elle tandis que Kat se tenait à l'écart.

– Service d'étage ! essaya-t-elle à nouveau. Après un

bon moment de silence, elle utilisa la clé magnétique, et les deux cousines pénétrèrent ensemble dans la pièce.

De toutes les chambres d'hôtel dans lesquelles Kat s'était trouvée au cours de sa jeune vie, elle ne se souvenait pas en avoir vu de semblable. Celle-ci ne comportait que deux grands lits, une petite salle de bains proprette, un bureau et un placard avec des cintres soudés à la tringle.

— Eh bien, ils voyagent comme s'ils n'avaient pratiquement plus d'argent, dit Gabrielle, en se déplaçant si rapidement et silencieusement dans la chambre que Kat se demanda si les pieds de sa cousine touchaient la moquette.

— Combien de temps avons-nous ? demanda Kat.

— Ils viennent de partir avec leur avocat, nous avons donc environ quarante minutes devant nous.

— Disons trente, évalua Kat, et Gabrielle haussa les épaules — geste universel signifiant *comme tu voudras*.

Ce n'était pas un problème. Il ne leur en fallait que dix pour accomplir leur tâche. Après tout, il n'y avait que la chambre et la salle de bains. Le placard contenait deux valises qui avaient dû coûter cher cinquante ans plus tôt, mais qui étaient à présent complètement décolorées et fatiguées ; trois paires de chaussures et un assortiment de vêtements usés mais soigneusement raccommodés, tous de facture londonienne.

— J'ai trouvé le coffre, déclara Gabrielle en désignant le meuble qui contenait le minibar.

À l'intérieur il y avait une petite boîte, identique à celles de toutes les chaînes hôtelières de la planète, il ne fallut pas plus de une minute à Kat pour l'ouvrir. Un instant plus tard, elle en sortait deux passeports au nom de Marshall et Constance Miller, deux cents dollars en Traveller's chèques, un médaillon de famille et un dossier jauni, passé, qui parlait d'une émeraude célèbre et d'un procès tout aussi réputé.

Kat regarda sa cousine le parcourir page à page – les photos en noir et blanc d'une famille dans le désert, les photocopies d'anciens registres rédigés à la main d'une élégante écriture féminine. Et d'innombrables lettres d'Oliver Kelly le troisième, exhortant Constance Miller à « passer à autre chose », de « laisser tomber », et enfin de « trouver une réelle occupation ».

— Bon sang, articula lentement Gabrielle, je n'aime pas du tout ce type.

Mais c'est la dernière page qui les scotcha – parce que sur cette dernière page était collée une simple carte de visite blanche portant en lettres noires le nom *Visily Romani.*

CHAPITRE 8

Une heure plus tard, Kat se trouvait toute seule au milieu du parc de Madison Square, elle regardait les épais flocons de neige qui flottaient entre le ciel gris et l'immeuble de Kelly – dans sa tête une voix lancinante lui disait que quelque chose de vraiment terrible allait se produire.

C'était peut-être dû à l'endroit : les immeubles sous haute sécurité sont difficiles d'accès. S'attaquer à une tour sous haute surveillance était un véritable suicide. Parce que les caméras de la société Kelly étaient ultrasophistiquées, et que leurs consultants en sécurité travaillaient habituellement pour des organismes comme la CIA.

Ce n'était en tout cas pas à cause des malédictions. Ni à cause de Hale. Et certainement pas parce que Visily Romani – aussi nobles que soient ses motivations – avait pris la fâcheuse habitude de mêler Kat à des coups que même des voleurs beaucoup plus âgés et expérimentés n'auraient jamais eu le culot d'entreprendre.

Non – Kat secoua la tête pour repousser cette pensée et cligna des yeux pour chasser la neige qui s'accrochait à ses longs cils –, ce n'était pas cela.

– Mon petit doigt me dit que tu es en plein repérage. dit une voix forte derrière elle.

Hale était là. Kat se retourna et vit Gabrielle lui pincer le bras en disant :

– Je t'avais bien dit qu'on la trouverait ici !

Mais visiblement Hale n'était pas d'humeur enjouée, et ajouta :

– Je dois t'avertir que cet Oliver Kelly ne plaisante pas, lui.

Alors Kat réalisa que tout, absolument tout dans cette affaire sentait mauvais. Depuis le bâtiment jusqu'à la cible, la façon dont Hale croisait les bras en l'observant, tandis que la neige tombait. Mais surtout il y avait…

– Romani.

Kat regarda vers le ciel gris.

– Ils avaient la carte de visite de Romani !

Elle attendait une réponse, quelle qu'elle soit, mais n'en obtint pas.

– C'est réglo. Alors je pense que je dois le faire.

Elle observa Hale à travers le rideau de neige.

– Allez… dis quelque chose !

– Cet endroit est une forteresse, Kat.

– Romani ne m'aurait pas envoyé Constance Miller, s'il ne pensait pas que je sois capable…

– *Nous*, la rappela-t-il à l'ordre.

– Oui bien sûr. S'il ne pensait pas que *nous* puissions le faire.

– Je n'aime pas ça, Kat, dit Hale, et juste à cet instant, elle sut qu'il avait raison.

– Je n'aime pas ça non plus, mais je pense... je pense qu'il faut essayer. Tu n'es pas obligé de venir avec moi si tu...

– Non, pas question, répondit Hale en secouant la tête. Si tu y vas, j'y vais.

Ils se tournèrent tous les deux vers Gabrielle, qui s'affala sur un banc du parc et croisa les jambes en déclarant :

– Alors, qu'est-ce que nous savons ?

Elle fixa le bâtiment au loin, comme si elle pouvait le déplacer par le pouvoir de sa pensée. Ça aurait pu marcher, si Hale ne s'était pas planté devant elle.

– La pierre arrive jeudi de Suisse par avion privé. Elle sera rapatriée immédiatement au dixième étage, où elle sera nettoyée, examinée et évaluée.

– Ça prendra combien de temps ? demanda Kat.

Hale haussa les épaules.

– Si tout se passe comme prévu, je dirais environ trois heures. Peut-être moins.

Gabrielle regarda Kat.

– Les frères Wobbley ont bien réussi le coup de *Jack et le haricot magique* en trois heures n'est-ce pas ?

– Peut-être moins de trois heures, reprit Hale un peu plus fort.

– Et il y a la malédiction, renchérit Gabrielle. Quoi ? demanda-t-elle comme Kat la regardait de travers, je suis juste en train de dire qu'on ne devrait pas sous-estimer les malédictions.

– Et en ce qui concerne le transport ? demanda Kat, ignorant sa remarque.

Hale secoua la tête.

— Ils ont faire appel à trois sociétés de voiture blindées et ont prévu trois itinéraires différents. Ils tireront au sort à la dernière minute le véhicule qui se chargera du transfert. De plus, durant le transit, il y a... vous savez... un fourgon blindé. Et des gardes armés.

— Les Bagshaw ont fait sauter un camion blindé une fois, rappela Gabrielle.

— *Et des gardes*, ajouta Hale en haussant le ton. C'est comment, au premier étage ? demanda-t-il, mais Kat secoua la tête.

— Aussi bien protégé que tu peux l'imaginer, peut-être même mieux. Quatre gardes. Deux en uniformes à l'entrée, un à l'entrée de service, et un autre en civil qui doit probablement faire des rondes impromptues.

— Des caméras ?

— Des tonnes.

— Des angles morts ? intervint Gabrielle.

— Aucun.

De l'autre côté de la rue, les lumières s'étcignirent peu à peu ; les employés sortirent par une porte latérale du bâtiment et se fondirent parmi les banlieusards, les travailleurs et les badauds du centre-ville de Manhattan.

— On ne peut pas le faire pendant la nuit, annonça Kat pour répondre à leurs questions muettes. Même si nous pouvions franchir l'obstacle des gardes et de la sécurité, la vitrine de l'émeraude s'enfonce dans le sol dans un coffre renforcé au titane durant les heures de fermeture.

— On a accès au sous-sol ? demanda Hale, intéressé.

— Non, affirma Kat en secouant la tête. Avec ce genre de vitrine, l'accès est impossible.

– Comment tu le sais ?

– Tokyo, répondirent Kat et Gabrielle à l'unisson.

Gabrielle haussa les épaules quand Hale la regarda.

– Si tu ne nous crois pas, demande à l'oncle Félix de te montrer ses cicatrices de brûlures de chalumeau et tu verras !

Le regard de Kat se perdait au loin, et elle commença à parler tout bas, comme pour elle-même :

– La pierre est petite, et petit signifie facile à cacher…

Hale et Gabrielle restaient silencieux, ils la laissaient parler, faire marcher son esprit, se creuser les méninges.

– … Mais personne ne l'a vue depuis des années, alors tout le monde va être curieux, et les gens curieux ont tendance à… voir. La curiosité implique aussi la concentration, or les gens concentrés prennent peur facilement, et sont alors faciles à distraire…

– Alors nous voilà revenus à l'affaire du *haricot magique*, lança Gabrielle, mais Hale secoua la tête à nouveau.

– Non, dit-il, croyez-moi, même si nous parvenions à faire entrer le cheval de Troie là-dedans, il n'y aurait pas moyen d'en sortir sans que quelqu'un remarque que l'émeraude a disparu. Et faites-moi confiance, il vaut mieux qu'on ne se fasse pas serrer à l'intérieur, grinça-t-il. Ils embauchent des anciens marines, et des costauds.

Quand Kat prit la parole, c'était davantage une question hypothétique qu'une provocation :

– Et si personne ne s'en apercevait ?

– Non, Kat. Non.

Malgré la neige, la sueur perlait sur le front de Hale.

– Si nous avions un mois devant nous et une équipe

solide, alors … pourquoi pas ; mais Kelly ne plaisante pas, et nous n'avons ni le temps ni les moyens de…

— À quoi tu penses ? demanda Gabrielle en l'interrompant.

— Kat ! cria Hale, probablement plus fort qu'il n'en avait l'intention, car il se radoucit aussitôt. Kat, l'oncle Eddie ne pourrait pas voler ça.

Le voilà, le truc qui était plus effrayant encore que les gardes, plus inquiétant que les caméras. La seule chose que, quoi qu'elle fasse, Kat n'avait aucun moyen de contourner : ce qu'ils prévoyaient de faire était interdit, allait à l'encontre des règles de la famille, et Kat ne parvenait pas à envisager ce coup comme le ferait l'oncle Eddie. Elle l'appréhendait comme Visily Romani.

— La salle d'authentification, murmura Kat comme pour elle-même. Nous pouvons faire un coup dans le genre *Alice au pays des merveilles* dans cette salle d'authentification.

Ils demeuraient parfaitement immobiles dans l'air humide ; la stratégie prenait forme comme les pièces d'un puzzle fabriqué avec des flocons de neige tout autour d'eux.

Ils étaient là tous les trois, tremblant de froid et d'exaltation à l'idée que peut-être — oui, peut-être — ça pourrait marcher. Mais peut-être aussi, Kat le savait, que ça ne marcherait pas.

Gabrielle regarda sa cousine dans le blanc des yeux :

— Quoi qu'il en soit, Kat, ne me dis pas que nous avons besoin d'un *faussaire*.

— Non, Gabrielle. Nous allons avoir besoin de quelqu'un

qui puisse reproduire l'Émeraude de Cléopâtre en soixante-douze heures.

Kat se mit à marcher. Ses cheveux courts balayaient son visage et elle se retourna pour crier contre le vent :

– On va avoir besoin *du* faussaire.

J –2 avant l'arrivée
de l'Émeraude

Quelque part en Autriche

CHAPITRE 9

— Est-ce que je le connais ? demanda Hale.

D'une seule voix, les cousines lui répondirent par la négative.

Kat et Gabrielle étaient assises à l'arrière d'un gros 4 × 4 acheté par Hale et conduit par Marcus. Il y avait du tangage à l'arrière, tandis que les grosses roues motrices labouraient les ornières de la route délabrée. Non, réalisa Kat, on ne pouvait pas parler de *route* dans ce cas précis.

Chemin.

Piste.

Piège mortel ?

Un bref instant, la forêt s'écarta et il n'y eut plus rien que la neige et le ciel entre eux et la pente abrupte qui plongeait dans l'abîme. Gabrielle – qui avait le talent rare de funambule et de spécialiste en câblage à haute altitude, ce qui était très précieux dans le business familial – se pencha à la portière et jeta un coup d'œil dans le vide abyssal et tout blanc.

Hale, de son côté, se retenait de toutes ses forces pour ne pas vomir sur les sièges en cuir souple de la voiture.

– Est-ce qu'on est sûrs que ce type sera là ?

Kat admirait la neige immaculée qui s'étendait devant eux, une couche de cinquante centimètres d'épaisseur, totalement vierge.

– Il est chez lui, dit-elle, certaine que personne n'était monté – ou descendu – de cette montagne depuis très longtemps.

Marcus accéléra progressivement. Les pneus dérapaient, et la voiture faisait des embardées ; mais ils avançaient inexorablement à l'assaut de la montagne.

– Et comment saurons-nous s'il peut nous aider ? questionna Hale d'une voix plus aiguë qu'à l'accoutumée.

– Oh, il *peut* nous aider, affirma Gabrielle d'une drôle de voix.

Le ton particulier de Gabrielle – une inflexion soudaine –, ou le fait que Hale ne supportait plus le vertige causé par la proximité du précipice au long duquel Marcus naviguait depuis un moment firent qu'il se retourna complètement vers le siège arrière :

– Qu'est-ce que cela signifie ? demanda Hale.

– Eh bien… balbutia Kat, disons que, d'une certaine manière il est un peu…

– Timbré ! ajouta Gabrielle, pour venir à la rescousse de sa cousine. Pour parler simplement, il a une case en moins.

– Il est *excentrique*, renchérit Kat.

– Bizarre.

– Il a un tempérament d'artiste.

– Moi je dirais qu'il a une case en moins.

– Il est un petit peu... imprévisible.

Mais cette fois, on ne plaisantait plus, et Gabrielle s'énerva :

– Non, Kat, ce mot-là est interdit !

Kat laissa flotter ce moment de vérité, silencieux et glacé comme la neige. Puis elle secoua la tête.

– Bon, lui et oncle Eddie ne s'entendent pas. Mais ça n'a rien à voir avec la qualité de son travail. C'est un pro.

– Je sais, mais si l'oncle Eddie nous interdit à tous de faire appel à lui...

– L'oncle Eddie nous interdit également de voler l'Émeraude de Cléopâtre. Ne t'en fais pas, Gabrielle, même l'oncle Eddie ne peut pas nous tuer deux fois... répliqua Kat en se concentrant sur la vitre pleine de givre.

– Oh, si, il en est capable...

Hale se retourna et jeta à nouveau un coup d'œil vers le précipice.

– De toute façon, ajouta Kat tandis que la voiture ralentissait, nous sommes arrivés.

Marcus conduisit à travers une clairière, au milieu d'une forêt de pins et déboucha sur un chemin encore plus étroit ; arrivé devant un muret de pierre, le véhicule se dirigea vers une petite cabane, d'où s'échappait de la fumée en spirale dans le ciel. Des stalactites de glace pendaient au rebord du toit, on se serait cru devant la maison en pain d'épice de la sorcière de *Hansel et Gretel*.

– Ouais, s'exclama Hale en regardant par la portière. Il faut être sacrément tordu pour se planquer ici.

En sortant de la voiture, Kat s'enfonça dans la neige jusqu'aux genoux, elle s'agrippa donc au bras de Hale pour se frayer un chemin à travers les ornières profondes jusqu'à la petite pente qui les rapprochait enfin de leur destination.

– Hale, dit Kat doucement, il y a encore une chose que tu dois savoir à propos de Charlie...

– Ouais ? dit Hale

– C'est le frère d'Eddie...

– OK.

– Et...

En levant les yeux vers le visage de Hale, Kat ne put s'empêcher de penser que le ciel était trop clair, trop bleu, trop proche. Hale était tout près. Trop proche. Trop près. Elle avait l'impression qu'ils pensaient à la même chose, et elle ne savait pas si cela devait lui faire peur ou non.

Pendant un instant, il leur sembla que les paroles étaient inutiles.

Le silence fut brusquement interrompu, car la porte s'ouvrit et une grosse voix grincheuse aboya :

– Qui va là ?

Ils se retournèrent tous les trois pour découvrir le visage de l'oncle Eddie.

– Kat ?

Cette dernière perçut l'inquiétude dans la voix de Hale, et sut qu'il était déjà en train de préparer un gros baratin pour la couvrir.

– C'est bon, Hale. Je te présente...

– Salut, oncle Charlie.

Gabrielle remonta ses lunettes de soleil sur le sommet de sa tête, et le vent s'engouffra dans ses longs cheveux. Kat dut reconnaître qu'elle était magnifique. Et pourtant celui qui était considéré comme un des plus grands artistes

80

au monde ne lui prêtait aucune attention. Il était absorbé par une vision qui se détachait à côté d'elle dans la lumière du soleil et qui faisait jaillir un fantôme de cristal blanc.

— Nadia.

Sa voix se déchira et ses lèvres tremblèrent, mais son regard restait fixé sur Kat. Les mains les plus talentueuses du business tremblaient devant cette apparition.

— Non, Charlie. C'est la fille de Nadia, Kat. Tu te souviens ? murmura Gabrielle. Nadia est morte, Charlie.

— Bien sûr, se reprit l'homme, qui recouvrit ses esprits et s'écarta de la porte :

— Entrez donc, puisque vous êtes là.

Kat et Hale s'attardèrent au soleil, regardant le vieil homme disparaître dans l'obscurité de la maison. Hale marmonna :

— L'oncle Eddie a un jumeau… Il y a *deux* oncles Eddie.

— Non.

Kat secoua la tête.

— Ils ne sont pas jumeaux.

*
* *

Faux murs et faux papiers d'identité, contrefaçons encadrées, colliers en imitations de pierres précieuses. Kat se rendait bien compte que la plupart des choses qui existaient dans son univers étaient un peu irréelles, mais cela sautait aux yeux quand on se trouvait dans ce minuscule chalet au sommet du monde. Elle repensa à la maison de M. Stein à Varsovie, à toutes les pièces consacrées à la recherche de trésors engloutis, cachés, perdus – que l'on ne reverrait peut-être jamais ; mais la maison de l'oncle Charlie… était exactement à l'opposé de cet univers.

Trois *Mona Lisa* étaient accrochées près de l'entrée. Le manteau de la cheminée était orné d'une douzaine d'œufs de Fabergé ; il y avait un panier de titres au porteur près du l'âtre et, dans la salle de bains, un ensemble de serviettes de toilette qui, réunies, représentaient la *Cène* de Leonard de Vinci en tissu-éponge.

C'était le musée le plus étrange qu'ils aient jamais vu, ils contemplaient donc ce spectacle avec émerveillement.

– Excusez le désordre, déclara Charlie en posant sur le sol une pile de toiles entassées, pour leur faire un peu de place sur une vieille méridienne. Ça fait quelques jours que je n'ai pas eu de compagnie.

Ou quelques années, songea Kat, se rappelant le chemin interminable dans la neige intacte. Elle se taisait, tandis que Hale regardait le décor d'un air abasourdi.

– Euh… Charlie ?

Le vieil homme sursauta en entendant prononcer son nom, mais réussit à bredouiller :

– Oui, quoi ?

– C'est un vrai Michel-Ange ? demanda Hale en désignant une sculpture qui trônait dans un coin, couverte, de chapeaux, d'écharpes et de poussière.

– Évidemment.

Charlie tapota le dos de la sculpture.

– Nadia m'a aidé à la voler.

Gabrielle et Hale n'osaient pas regarder Kat, craignant que le fait d'entendre prononcer le prénom de sa mère soit trop dur pour elle. Seul Charlie semblait parfaitement à l'aise dans le silence.

— Par contre celui-là est de moi. Il désigna un Rembrandt accroché au mur, poussiéreux, craquelé, parfaitement identique à celui qui était accroché au-dessus de la cheminée de l'oncle Eddie depuis que Kat était enfant.

Peu importait l'original. Mais pas pour Kat. Se retrouver devant deux toiles parfaitement imitées, à quelques milliers de kilomètres l'une de l'autre, c'était comme entrer dans un vortex reliant deux mondes différents. Kat examina le tableau de Charlie, pour tenter de déceler en quoi il se distinguait de son jumeau, mais les différences ne tenaient pas à la toile ou à la peinture utilisées. Les différences provenaient des vies de ces peintures. Kat en était convaincue.

— Tu es le portrait de ta mère.

Kat sursauta, la voix de son oncle la fit atterrir dans la pièce et dans le présent. Ses yeux se remplirent de larmes et sa vision se troubla.

— Ouais.

Kat s'essuya les yeux en espérant que personne n'avait rien remarqué.

— Je suppose que oui.

Lorsque Kat s'approcha de lui, elle crut qu'il allait péter un plomb et partir en courant, mais au lieu de cela il saisit son bras et le serra. Ses mains étaient couvertes de vernis et de taches de couleur, les mains d'un artiste peintre… aucune trace de brûlures ou de cicatrices. Il resserra son étreinte, comme un étau. Il y avait quelque chose d'authentique chez ce faussaire de génie quand il fixa son regard sur elle en disant :

– Il sait que vous êtes ici ?

Kat secoua la tête.

– Non.

Quand il relâcha le bras de Kat, il se laissa glisser dans un fauteuil ; Gabrielle prit un tabouret et se rapprocha de lui.

– Tonton, je peux t'appeler tonton ? Nous sommes sur un coup – un méga coup.

– Un *vrai* job ? demanda-t-il, en riant bruyamment. Où est ta maman ? la taquina-t-il.

– Elle est occupée, répliqua Gabrielle. Et on a déjà fait un max de coups sans l'aide de quiconque.

– J'imagine que vous n'êtes pas au courant pour le musée Henley ? dit Hale, mais son visage s'éclaira en voyant le regard de Charlie.

– La chance des débutants, jugea le vieil homme.

– Nous avons un projet, c'est sérieux, tonton Charlie.

Pour la première fois de sa vie, Gabrielle semblait en quête d'approbation.

– On a un plan.

– Vous êtes encore des enfants, persifla le vieil homme.

– Et Nadia, c'était une enfant ? s'ingénia Gabrielle. Et ma mère. Et…

– Ne touchez pas à ça ! s'écria Charlie en voyant Hale s'approcher d'un vase Ming qui contenait un assortiment de vieux parapluies.

– On a fait beaucoup de route pour venir te voir, tonton Charlie, poursuivit Gabrielle.

Le vieil homme lui jeta un coup d'œil sarcastique.

– La route du retour est toujours plus facile...

– Nous ne serions pas venus s'il existait quelque chose

dans ce monde que tu ne sois pas capable de reproduire, déclara Gabrielle en toute sincérité.

Sans minauderie, sans baratin, sans cajolerie cette fois-ci. Et elle ajouta :

— Nous ne serions pas là, si nous n'avions pas besoin du plus grand spécialiste.

— C'est vrai, je suis le meilleur.

Il avait la voix tranquille et assurée de quelqu'un qui énonce une vérité. Et pourtant, Kat ne put empêcher de remarquer que l'artiste tressaillait légèrement, et que ses mains tremblaient.

— Je suis à la retraite, dit-il, en regardant au loin. Et votre oncle n'aimerait pas vous savoir ici.

— Toi aussi tu es notre oncle, protesta Gabrielle tandis que Kat s'installait.

Elle capta le regard de son oncle :

— Quelqu'un utilise *un des pseudonymes*, oncle Charlie, dit-elle, et il devint blanc comme un linge. En as-tu entendu parler ?

— Ce n'est pas moi, répondit-il sèchement.

— Je sais.

Kat voulut lui prendre la main, mais il la recula vivement.

— Je sais, dit-elle à nouveau, plus doucement cette fois. Mais j'ai besoin de ton aide.

— *Nous*, corrigea Hale.

— Visily Romani *nous* a confié un job.

Kat inspira profondément.

— *Nous* avons besoin de l'Émeraude de Cléopâtre.

Et, en un éclair, ils se retrouvèrent au point de départ.

Il y eut sur le visage et dans le ton de cet homme la même résolution, et la même volonté que chez l'oncle Eddie.

– Non ! s'écria-t-il, se levant de son siège si brutalement que Kat en perdit presque l'équilibre.

Elle se rattrapa avec difficulté, mais l'homme, imperturbable, ne semblait plus prêter attention à ce qu'elle disait.

– La société Kelly rapatrie l'émeraude dans ses locaux new-yorkais dans deux jours, et nous devons la voler, oncle Charlie. Visily Romani *nous* a demandé de la voler.

– Personne ne *doit* voler l'Émeraude de Cléopâtre. Eddie le sait. Nous le savons ; nous savons… parce que cela nous a coûté cher.

Il se tourna vers Gabrielle.

– Vous devriez partir.

– Charlie, s'il te plaît.

En trois enjambées, Kat fut près de lui.

– Je ne peux pas faire cela… Ce n'est pas possible… J'aurais besoin de…

– Vous aurez tout ce qu'il vous faudra, déclara Hale.

– C'est impossible !

Le vieil homme cria si fort que Kat craignit qu'il ne déclenche une avalanche.

– Je ne peux pas faire cela. Je ne peux pas la faire. Je ne peux pas…

– Nous ne te demandons pas de nous fabriquer une fausse Émeraude de Cléopâtre, oncle Charlie.

La voix de Kat, douce et gentille, était à peine audible. Lorsqu'elle toucha son bras, il ne le retira pas.

– Nous avons seulement besoin que tu nous donnes *celle que tu as déjà*.

J –1 avant l'arrivée
de l'Émeraude à Brooklyn

New York
États-Unis

CHAPITRE 10

Les autres s'étaient endormis durant le trajet entre l'aéroport et la maison de pierres brunes. Kat regardait Gabrielle recroquevillée comme un chaton, alors que Hale était étalé de tout son long sur le siège arrière de la limousine ; ses grandes jambes et ses grands bras occupaient tout l'espace, et sa tête se retrouvait de temps en temps sur l'épaule de Kat dont les pensées s'embrouillaient à son contact.

Kat savait qu'elle aurait dû se reposer, mais ses yeux restaient ouverts alors que l'aube pointait. C'était plus fort qu'elle. Elle ne pouvait pas s'empêcher de penser, de planifier, de se soucier de tous les détails et d'envisager tous les scénarios catastrophes. L'interrupteur pourrait disjoncter, l'accès au toit rendu impossible, les plans des bâtiments pourraient être obsolètes. L'affaire pourrait capoter de mille et une façons, et une seulement leur permettrait de réussir.

Il y avait trop de risques.

Quand la voiture s'arrêta, la rue était silencieuse pendant ce moment un peu particulier des premières lueurs du jour, et la fille qui n'était pas tout à fait une voleuse songea un instant à rester là, à demander à Marcus d'arrêter la voiture et de laisser tout le monde dormir. Mais Hale se mit à bouger à côté d'elle.

— On est arrivés ?

Kat sentit son souffle dans son cou, chaud et doux comme celui d'un bébé. Il s'étira, encore à moitié endormi, il avait oublié sa colère à propos de Moscou, de Rio et des autres sujets de discorde. Elle regretta le contact du garçon qui s'était blotti contre elle.

— Tu as bien dormi ?

— Oui oui.

— Menteuse, dit Gabrielle, en se redressant et s'étirant elle aussi. Tu pensais au toit, ne me dis pas le contraire.

— Entre autres… concéda Kat.

— L'interrupteur ? demanda Hale.

— Les caméras ? interrogea Gabrielle, mais Kat restait assise sans bouger. Il lui fallut rassembler toutes ses forces pour atteindre la poignée, ouvrir la portière et sortir dans la faible lumière de l'aube.

— Le timing.

Elle toucha la pierre verte, douce et fragile dans sa poche.

— Le timing… c'est l'essentiel.

Kat s'attendait que la rue soit déserte, tout comme la maison de pierres brunes où, imaginait-elle, elle trouverait la paix et la tranquillité, mais une voix grincheuse tonitrua :

— Je n'aurais pas dit mieux !

90

Kat ne connaissait pas tous les visages et n'aurait pu énumérer tous les noms que l'oncle Eddie avait empruntés dans sa longue vie. Eddie lui-même n'en avait probablement aucune idée. Mais un seul d'entre ces hommes comptait, et c'était celui qui se trouvait là, en train de marcher de long en large dans sa maison. Ce même homme que les trois adolescents suivirent dans la chaleur de la cuisine.

— Tu vas commencer par t'installer ici, dit-il à Kat. Et tu vas manger.

C'était la première fois depuis longtemps que quelqu'un prenait une décision à sa place, et elle fit exactement ce qu'il lui demandait. Et elle adorait cela.

Il craqua une allumette et alluma le vieux fourneau, puis sortit une douzaine d'œufs du réfrigérateur. C'était en partie une habitude, en partie un rituel, et ses mains qui avaient opéré un millier de casses bougeaient avec une assurance sans faille.

— Tu es allée en Europe.

Ce n'était pas une question, et Kat savait qu'il était inutile de nier.

Hale et Gabrielle échangèrent un regard inquiet dans le dos de l'oncle, mais Kat s'assit simplement ; elle sentait le poids de la pierre de Charlie dans sa poche, tout contre sa hanche.

— Et comment va ton M. Stein ?

Aussitôt, elle éprouva un énorme soulagement : *il n'était au courant de rien.* Mais elle s'agaça :

— Ce n'est pas *mon* M. Stein.

— J'ai vu les gros titres sur les statues au Brésil… continua l'oncle Eddie, ignorant totalement sa remarque.

J'ai entendu dire qu'un Cézanne avait disparu à Moscou...

Hale fit un signe en rapprochant ses deux doigts.

– Juste un tout petit.

– J'ai bien l'impression que l'opération en Amérique du Sud va se passer de moi pour quelques jours. Je crois qu'on a besoin de moi à la maison.

Eddie sortit une grosse poêle en fonte, mais ne se retourna pas, il garda le silence jusqu'à ce que Kat, n'y tenant plus, bafouille enfin :

– C'étaient des jobs très faciles.

L'oncle Eddie jeta un regard vers Hale, qui haussa les épaules en disant :

– Je n'étais au courant de rien !

Il s'adossa au mur, croisa les bras et déclara :

– Je n'ai pas été invité.

Kat sentit le malaise, tandis que l'oncle Eddie dévisageait Hale :

– Elle y est allée toute seule ?

– Une véritable anguille, confirma Hale, et soudain Kat les détesta pour cette complicité qui était née entre eux durant son absence.

– *Elle* est là devant vous ! répliqua Kat. Et pour autant que je sache, *elle* a réussi tout ce qu'elle a entrepris jusqu'à présent.

– Le talent, Katarina, est une chose dangereuse.

L'oncle Eddie se tourna vers ses fourneaux, posa du bacon dans la poêle, et quand il prit à nouveau la parole, ce fut en russe, à mi-voix et dans sa moustache.

– C'était quoi, ça ? demanda Hale.

– Tu ne pourrais pas comprendre, esquiva Gabrielle.

En voyant l'expression ahurie de Hale, elle joua les interprètes.

— Il dit que…

— Laissez-nous, ordonna Eddie à Hale et Gabrielle.

— Mais … Gabrielle montra du doigt la poêle avec les œufs au bacon.

— Maintenant, répliqua Eddie et, une seconde plus tard, Kat se retrouvait toute seule à la table de la cuisine.

Tout à coup la pièce devint différente. L'oncle Eddie avait beau être devant son fourneau, sa récente absence restait imprimée partout… Depuis le calendrier qui n'avait pas été changé, jusqu'aux valises qui attendaient devant la porte. Mais la seule chose qui comptait vraiment pour Kat, c'était le journal qui se trouvait au-dessus des autres, avec les gros titres, qui annonçait que la pierre de Cléopâtre allait être déplacée.

— Nous nous ressemblons, Katarina.

Normalement, cela aurait dû être un compliment, un éloge rarissime, même. Kat pensait à au moins une douzaine de personnes qui auraient donné un bras pour s'entendre dire ces quelques mots une fois dans leur vie. Mais elle connaissait l'animal.

— Autrefois, j'ai été un jeune voleur brillant… Mais j'étais loin d'être aussi doué que je l'imaginais.

Il prit une profonde inspiration.

— Il est dommage que l'histoire se répète.

— Qu'est-ce que ça signifie ? Kat se redressa et bomba le torse, mais regretta aussitôt son arrogance.

— C'est comme si tu désapprouvais le business familial, Katarina, dit-il en haussant les épaules. Ou si tu me désapprouvais, moi. Mais tous les risques que tu prends… ces choses que tu fais… c'est beaucoup trop dangereux… quand on les fait seul.

Kat ne pouvait s'empêcher d'y penser ; elle revit Rio et Moscou, et le regard de Gabrielle quand elle l'avait prévenue des dangers de l'orgueil et de la toute-puissance. Quand on se sent au sommet du monde, parce qu'on se shoote à l'adrénaline. Et quand on est arrivé à ce stade d'arrogance, il y a toutes les chances que la chute soit terrible.

Mais elle était intelligente et prudente, alors, sans aucune arrière-pensée, elle se jeta dans les bras de son oncle en disant :

— Regarde, oncle Eddie, je suis de retour, je suis ici. Et je ne suis pas toute seule.

— Oui, répondit-il tristement. Tu es ici. Quand ça t'arrange.

— Tu n'aimes pas ma façon de voler ? Ou bien pourquoi je vole ?

— Écoute-moi, Katarina…

— Quel genre de voleuse veux-tu que je sois, oncle Eddie ? Qu'est-ce que je dois voler — est-ce que c'est en Uruguay ?

— Paraguay, rectifia son oncle.

Le journal était étalé sur la table, sous les yeux de Kat, semblant l'appeler, la défier.

— Oh, oh… dit-elle en s'en emparant. Je vois que l'Émeraude de Cléopâtre sera bientôt en ville. Je pourrais peut-être monter un plan pour ça.

Kat ne savait pas pourquoi elle avait dit cela, mais il était trop tard pour le retirer… Peut-être désirait-elle que son oncle lui interdise de faire le coup ; peut-être

94

s'attendait-elle qu'il se mette à rire à cette simple idée. Mais il attrapa le journal et le fourra dans la poubelle avec les coquilles d'œuf et le marc de café.

— On ne plaisante pas avec ce genre de choses !

— Je sais, dit Kat, mais l'oncle Eddie était sur sa lancée.

— L'Émeraude de Cléopâtre n'est pas un jeu !

— Je sais, dit-elle, en essayant de faire profil bas, mais c'était trop tard.

— Tu es une jeune fille intelligente, Katarina, trop intelligente pour prendre des risques aussi stupides. Des voleurs bien plus aguerris que toi sont partis à la quête de cette fichue pierre, et ils l'ont payé cher, crois-moi.

Il se tut. Kat aurait juré avoir vu ses mains trembler... Sa bouche formait un pli amer quand il murmura :

— De grands voleurs l'ont payé très cher…

Le son de la voix de Kat s'était radouci quand elle répéta :

— Je sais.

— On ne vole pas l'Émeraude de Cléopâtre, Katarina. Elle est…

Eddie cherchait ses mots.

— *Maudite*, proposa Kat.

Eddie se tourna vers elle. Il secoua la tête :

— *Interdite* !

Sur le fourneau, la graisse grésillait, la fumée qui s'échappait de la poêle envahissait la pièce ; c'était la première fois de sa vie que Kat voyait son oncle faire brûler son bacon. Alors elle se tut en réfléchissant à toutes les choses qu'elle devrait garder pour elle.

— Si tu ne veux pas être comme nous, Katarina, alors tu ferais mieux de retourner à l'école et de quitter cet endroit. Et de nous oublier pour de bon. Tu n'as pas besoin d'un vieux croûton comme moi pour t'empêcher de n'en faire qu'à ta tête.

Kat était sur le point de pleurer.

– Je suis revenue, oncle Eddie. L'an dernier, après le musée Henley, j'aurais pu aller dans n'importe quelle école au monde, j'aurais pu faire n'importe quoi, mais je suis revenue.

– Tu t'es enfuie, Katarina.

Et maintenant je suis de retour.

Il aurait dû s'en rendre compte, c'était pourtant facile à voir. Elle voulait l'entendre dire *bravo, quel beau casse !*, qu'il lui dise qu'il était fier de l'avoir à sa table. Mais au lieu de cela il retourna à ses fourneaux et à son bacon.

– Tu es encore en fuite.

Il faisait trop chaud dans la cuisine, et la grande maison était soudain devenue trop exiguë. Les mots de son oncle résonnaient trop fort dans ses oreilles, et Kat sentit qu'elle ne pouvait plus rester ici. Dehors, l'air frais du matin la rafraîchirait, aussi elle ne s'arrêta même pas pour prendre sa veste, ni son sac. Elle franchit le grand couloir jusqu'à la porte d'entrée, laissant les soucis et la peur derrière elle. Dehors.

Elle allait enfin pouvoir réfléchir, dehors.

– Il a raison, tu sais.

Kat s'arrêta au son de cette voix. Elle avait la main sur la poignée, la liberté était à quelques centimètres, mais c'est comme si elle avait oublié comment déverrouiller une porte et, quand elle se retourna, Hale était assis tout seul en haut des escaliers.

– J'ai cru, après le musée Henley, que tu étais revenue parmi nous.

Il regarda ses mains.

– Avec moi. Mais maintenant…

– Je n'ai pas besoin d'une autre leçon, Hale.

Les mains de Kat tremblaient. Ses lèvres frémissaient. C'était comme si son corps lui-même se rebellait contre elle.

– Je n'ai pas besoin que quelqu'un me dise ce que je dois faire.

– Oh, personne ne te dit quoi faire, Kat. *C'est toi* la fille qui as fait le casse du musée Henley.

– Ouais, lui répondit Kat. Et je…

– Mais tu ne l'as pas fait *toute seule*.

Il se leva et descendit les escaliers lentement.

– Je le sais bien.

– Vraiment ? se moqua Hale. Tu le penses vraiment ? Parce que moi, il me semble que tu as oublié un tas de choses.

Kat était à la veille du plus gros coup de sa vie, il était trop tard pour douter ou s'interroger. Gabrielle avait raison : les garçons sont beaucoup moins pénibles quand ils se trouvent de l'autre côté de la planète.

– Je suis désolée, Hale. Je regrette de ne pas être allée à Moscou avec toi. Ou à Rio. Je suis désolée de ne pas avoir le temps de te tenir la main et de flatter ton ego. Et si tu n'es pas content, la porte est là.

– Tu as raison. Je devrais peut-être partir.

Il s'avança et passa lentement à côté d'elle.

– Mais tu devrais peut-être partir aussi, juste t'en aller. Oublier l'émeraude et disparaître.

Pour Kat, ce fut comme si d'un seul coup la terre se mettait à tourner trop vite. Ses pensées allaient à toute allure ; Hale se radoucit et se rapprocha.

— On n'est pas obligés de faire cela, lui dit-il. Dis-moi un mot seulement, et dans moins de une heure le jet sera là. On peut aller n'importe où.

Ses mains chaudes étreignaient les siennes, glacées.

— Nous pouvons faire ce que nous voulons. Nous ne sommes pas obligés de faire *ça*.

Kat sentait le poids de la pierre de Charlie dans sa poche, contre sa cuisse. Elle pensa à Romani et à M. Stein, au sable, au soleil et aux voleurs comme Oliver Kelly premier du nom – la pire espèce de criminels qui soient. Ceux qui volent des fortunes et de la fausse respectabilité.

— Il te suffit de prononcer un mot, Kat. N'importe lequel.

Kat prit une grande inspiration et se dégagea. Sans regarder en arrière, elle ouvrit la porte et s'en alla sur un mot :

— Romani.

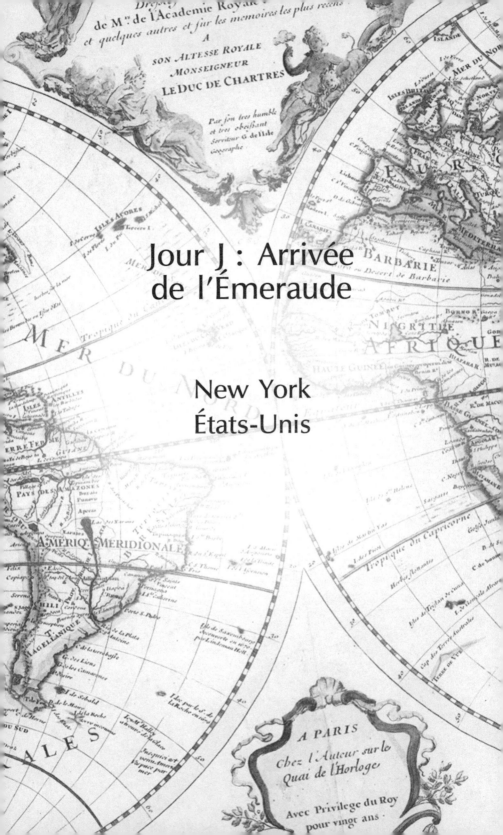

Jour J : Arrivée de l'Émeraude

New York
États-Unis

CHAPITRE 11

On peut comprendre qu'après toutes ces années les gens qui se trouvaient dans les bureaux new-yorkais de la société Oliver Kelly, spécialisée dans la vente aux enchères d'œuvres d'art et d'antiquités, étaient devenus plus ou moins blasés devant les belles choses.

Dans l'arrière-salle trônait un sceptre qui avait appartenu aux joyaux de la couronne d'Autriche. Tous les jours, à 16 heures, le directeur des Antiquités buvait son thé dans un service qui avait appartenu à la reine Victoria en personne. En réalité, la beauté n'est pas si rare que cela. Mais ce vendredi matin, personne n'en savait rien.

Les femmes portaient leurs escarpins les plus hauts, les hommes leurs cravates les plus coûteuses. Tandis qu'Oliver Kelly, troisième du nom, arpentait les salles majestueuses, rutilantes, le bâtiment tout entier vibrait comme si Cléopâtre elle-même était sur le point de paraître.

— Eh bien, voici l'homme du jour.

Kelly se retourna en entendant la voix.

– Oh, bonjour, monsieur…

– Knightsbury, dit Hale en serrant la main de Kelly. C'est formidable de vous rencontrer à nouveau. C'est un grand jour. Un grand jour.

– Absolument, dit Kelly en jetant un coup d'œil impatient à sa montre. Je présume que M. Jones est ici pour… superviser le transfert ?

– Oh, non monsieur, répondit Hale. M. Jones était si impressionné par votre service de sécurité qu'il m'a envoyé avec une de nos jeunes associés. Je vous présente Mlle Melanie McDonald. Mlle McDonald vient tout juste de rejoindre notre équipe. Dans la mesure où le contrat d'assurance exige que deux employés soient présents…

– Bonjour.

Et là, bien qu'Olivier Kelly le troisième fût habitué au plus grand luxe, force était de constater que tous les sceptres et les services à thé ne pouvaient pas rivaliser avec Gabrielle.

– Je suis ravi de vous rencontrer, mademoiselle McDonald, dit-il.

– Appelez-moi Melanie, proposa Gabrielle en tendant une main délicate. Moi aussi, je suis ravie de vous rencontrer.

Une bonne douzaine de personnes se pressaient dans les salles. Des gemmologues et des égyptologues en blouses blanches et vestes de tweed ; des avocats et des armoires à glace avec de gros pistolets bien visibles sous leurs blazers et accrochés à leurs gilets pare-balles.

Hale regarda le groupe, Kelly, lui, n'avait d'yeux que pour Gabrielle.

– Alors, on y va ?

Toutes les salles à l'intérieur du bâtiment de la société Kelly étaient immaculées, mais Hale réalisa que la pièce où ils se retrouvaient ferait pâlir d'envie la plupart des hôpitaux en termes de propreté et d'exigence.

De gros projecteurs éclairaient une table en acier inoxydable. Des outils divers étaient disposés sur des serviettes en coton, il y avait des microscopes et des lasers, des lunettes de protection et des gants. Chacun dans la pièce garda un silence respectueux quand les portes s'ouvrirent et que quatre gardes en uniforme entrèrent, entourant un homme portant un nœud papillon rouge et des lunettes épaisses comme des culots de bouteilles. Il tenait une petite boîte en bois et, au moment où il la posa au centre de la table en acier, il soupira comme s'il se délestait de tout le poids du monde.

– Tu connais ma cousine Pandore ? murmura Gabrielle à l'oreille de Hale en faisant un geste vers le centre de la pièce. C'est *sa* boîte : *la boîte de Pandore* !

Les gens auraient pu capter des bribes de ce message, mais on n'entendit que le grincement des charnières rouillées. Personne – que ce soit les experts en estimation ou les gardes – pas même Oliver Kelly lui-même, ne put détacher son regard du directeur des Antiquités au nœud papillon impeccable et aux gants de coton blanc, alors qu'il plongeait une main dans la boîte…

Et en sortit la pierre verte la plus précieuse que la terre eût jamais connue.

Hale en avait déjà vu des clichés, évidemment. C'était un jeune homme qui avait voyagé, et qui connaissait parfaitement le milieu. Un vrai voleur. Tous les gens dans ce business avaient déjà vu des photos.

Mais les photographies ne pouvaient capter l'essence subliminale, l'aura magique qui émanaient de ces quatre-vingt-dix-sept carats d'un vert inimitable, d'une pureté qui évoquait l'Irlande au printemps.

Malédiction ou pas, l'homme avait raison de tenir respectueusement la pierre en la déplaçant sur la table. Les experts tournaient autour de l'émeraude comme les planètes autour du Soleil ; il scannaient, mesuraient, pesaient sans se parler, comme dans un ballet. Comme dans un casse, se dit Hale.

En dehors des questions et des réponses à mi-voix des experts, personne ne décrocha un mot au cours des quatre-vingt-dix minutes suivantes, jusqu'à ce qu'une femme menue – la plus grande gemmologue du monde, venue spécialement d'Inde pour la circonstance – s'écarte de la pierre en s'essuyant le front. Alors, Oliver Kelly lui demanda :

– Eh bien ?

La femme nettoyait ses lunettes, toute la salle était suspendue à ses lèvres.

– Félicitations, M. Kelly, l'Émeraude de Cléopâtre a trouvé sa nouvelle demeure.

Elle tendit la pierre à son propriétaire afin qu'il la dispose sur le coussin de velours prévu à cet effet :

– À vous l'honneur !

Ceux qui s'attendaient à ce que Kelly se précipite pour la saisir furent déçus. Au lieu de cela, il examina l'énorme pierre verte, comme s'il avait espéré secrètement qu'on lui dise qu'elle était fausse.

Une fausse Émeraude de Cléopâtre, au moins, ne pouvait faire de mal à personne.

— M. Kelly ? tenta la spécialiste.

— Oh, elle est magnifique ! s'exclama Gabrielle à côté de Kelly. Je ne peux même pas imaginer ce que l'on peut ressentir en tenant un tel objet.

Kelly éclata de rire.

— Eh bien c'est le moment où jamais...

Il lui fit signe d'avancer et de prendre l'émeraude – de, littéralement, tenir entre ses mains, l'histoire de l'Égypte.

Hale savait que Gabrielle ne jouait pas la comédie quand elle prit la pierre avec précaution et la regarda comme si elle avait attendu ce moment toute sa vie.

Cela lui brisa presque le cœur d'avoir à dire :

— Je dois vous rappeler, M. Kelly, que l'Émeraude de Cléopâtre est la cible la plus sensible qui soit.

— Je suis au courant, figurez-vous, rétorqua Kelly.

— Et chez *Chamberlain et King* nous ne supportons pas de vous voir prendre des risques inutiles avec une pierre si... unique... d'une si grande valeur culturelle ; sa propension à... comment dire... coïncider avec des événements malheureux et...

— Elle n'est pas maudite ! insista l'homme une dernière fois, d'une manière beaucoup trop excessive pour être sincère.

Il balança son bras droit dans un geste violent, sans remarquer que Gabrielle marchait à côté de lui, les mains tendues, l'Émeraude de Cléopâtre reposant à la vue de tous au creux de ses paumes.

Lorsque le bras de Kelly la heurta, elle chuta sur le sol vernissé et vit l'émeraude lui échapper. La honte et la terreur envahirent son visage tandis qu'elle se précipitait sur la pierre, en glissant, et en criant :

– Je l'ai, je l'ai !

Mais sa main heurta la pierre et l'envoya valser dans une petite bouche d'aération que personne, dans la société Kelly, n'avait jamais remarquée. Mais il était trop tard, et Oliver Kelly troisième du nom, le directeur des antiquités, le département d'authentification – sans parler des plus grands experts de la planète – ne purent que constater la disparition sous leurs yeux ébahis de la plus précieuse émeraude de l'histoire.

Seuls Hale et Gabrielle semblèrent capables de réagir. Ils se précipitèrent tous les deux vers la grille d'aération qui donnait dans un conduit plus large qui partait vers le toit.

Hale se pencha.

– Je crois que je peux l'attraper, dit-il en remontant sa manche, mais Gabrielle était déjà allongée sur le sol à côté de lui, elle réussit à introduire son long bras fin dans le minuscule espace et elle tâtonna dans l'obscurité pendant un moment qui parut une éternité.

Les lumières brillaient fortement dans la salle immaculée, mais il y avait comme une ombre qui les recouvrait tous, à la pensée que les émeraudes sont des pierres fragiles qui peuvent être facilement rayées ou ébréchées.

Et puis ils pensaient aussi aux malédictions.

Lorsque la fille sortit son bras de la grille, elle se releva en souriant, et montra sa main – une magnifique pierre verte brillait entre ses doigts. Elle était couverte de poussière et de toiles d'araignées, mais absolument intacte.

Et bien entendu, elle était complètement fausse…

*
* *

La plupart des gens de la société Kelly ne savaient strictement rien de l'Émcraude de Cléopâtre. Par exemple ils ne savaient pas comment Oliver Kelly l'avait obtenue tant d'années auparavant. Vraisemblablement, très peu de gens pouvaient comprendre l'humiliation et la peine que les voleurs du monde entier avaient éprouvées à cause de cette pierre insaisissable.

Et, le jour du grand retour devant le public de la pierre de Cléopâtre, personne ne saurait jamais comment cette émeraude était sortie, en toute discrétion, par un petit conduit de ventilation, grâce à un câble très fin ; personne ne saurait comment une jeune fille aux cheveux noirs l'avait récupérée, puis avait regagné le toit et la lumière du jour en la serrant très fort dans sa petite main.

CHAPITRE 12

Très tôt, tout bon voleur doit apprendre plusieurs leçons essentielles. Sinon, il meurt.

Ne jamais tourner le dos à un chien d'attaque (même si ce chien vous paraissait sympathique pendant le repérage). Ne jamais partir sans un paquet de piles de rechange (même si le type du magasin vous a garanti que tout était nickel). Et surtout, ne vous attachez à rien de trop précieux, en dehors de vous-même.

Katarina Bishop était une excellente voleuse et elle avait parfaitement bien assimilé ces trois leçons, mais tandis que la longue limousine noire la conduisait au centre de Manhattan, elle ne pouvait pas s'empêcher de penser que ceux qui avaient instauré la troisième règle n'avaient jamais eu l'Émeraude de Cléopâtre entre les mains.

– Tu veux la tenir ? demanda-t-elle, en agitant une enveloppe épaisse sous le nez de Hale.

– Non.

– Tu as envie de la toucher, l'embrasser et la porter autour de ton cou ?

– Ne fais pas l'idiote, lui dit-il, tout le monde sait que le vert ne me va pas au teint.

Gabrielle ne s'était pas trompée. On éprouve une sensation grisante – un frisson fabuleux – après un coup exceptionnel, Kat devait le reconnaître.

Elle avait tenu la pierre verte dans ses mains nues, et maintenant, shootée à l'adrénaline, elle planait complètement.

– Tu as été fabuleux, dit-elle en se rapprochant de Hale. Elle posa sa tête sur sa poitrine et regarda au loin. Je vois un grand potentiel chez toi... Wyatt ?

Cela aurait dû le faire rire, l'amener à plaisanter avec elle, mais comme il resta sérieux elle se redressa vivement.

– C'est ça ton nom de famille ? Wyatt ?

Il prit son bras, la regarda dans les yeux et répondit :

– Non.

Alors Kat se mit à rire et renversa la tête en arrière.

– On a réussi, Hale !

Elle ne tenait plus en place. Elle avait envie de sortir la tête par le toit ouvrant et de crier, de descendre la vitre de séparation et de demander à Marcus de conduire sans s'arrêter – peu importe jusqu'où. Pour la première fois depuis très longtemps, Katarina Bishop arrêta de penser. Elle était devenue un petit animal hystérique qui ne pouvait plus contenir sa joie.

– Nous avons réussi ! hurla-t-elle, et quand la voiture fit une embardée à un stop, Kat s'écroula sur les genoux de Hale en riant. Sans réfléchir, elle mit ses bras autour de son cou. Quand ses lèvres rencontrèrent les siennes elle ne recula pas, elle se pressa contre lui sans résister et s'abandonna à ce baiser jusqu'au moment où...

Le flash fut terminé. Kat se rejeta en arrière à la pensée qu'elle avait embrassé Hale. Une seconde pensée la paniqua davantage : Hale ne lui avait pas rendu son baiser.

– Désolée. Je...

Elle se rassit, bien droite, et son pied heurta quelque chose sur le plancher. Un sac de voyage était posé par terre à ses pieds.

– Qu'est-ce que c'est ?

– Paraguay.

Son cœur s'arrêta. Elle eut du mal à articuler.

– C'est plus petit que je l'aurais cru...

Elle s'attendait à ce que Hale plaisante en répliquant que sa blague était nulle. Mais il se contenta de prendre le sac et de le poser sur le siège à côté de lui.

– Eddie prétend qu'ils ont besoin de toute l'aide qu'on peut leur apporter. Je le rejoins, maintenant qu'on a terminé.

Il marqua une pause et lui demanda sans la regarder :

– C'est terminé, n'est-ce pas ?

Kat décela l'ambiguïté de la question, elle savait qu'elle était censée dire quelque chose d'autre. Mais elle était si bonne menteuse, et la vérité était une chose si compliquée...

– Tu avais raison, Kat, ajouta Hale d'un ton grave. Il faut que je parte.

Ne t'en va pas.

– Je sais que tu dois encore aller porter ce paquet, mais... tu n'as pas vraiment besoin de moi.

Mais je te veux, toi.

Sa main restait posée sur la poignée de la porte. Il inspira profondément tandis qu'elle murmurait.

— Hale…

— Tu pourrais venir, dit-il en s'approchant d'elle.

Son ivresse était devenue de la panique et Kat était pétrifiée, ne sachant plus quoi dire ni quoi faire.

— Ton père est déjà là-bas. Gabrielle dit qu'Irina est en route. Je sais que ce n'est pas un job comme la Cléopâtre, mais tu pourrais venir. Si tu le voulais, tu pourrais venir.

— J'ai envie, mais je ne… vole… plus, Hale.

Il se tourna vers la portière en soupirant :

— J'ai failli te croire.

Elle essaya de protester, mais Hale appuya sur le bouton de communication. La voiture ralentit et la vitre de séparation descendit.

— Marcus, conduisez-la où elle voudra.

— Hale, attends !

Elle tenta de le retenir, mais la voiture s'arrêta, il ouvrit la portière et descendit sur le trottoir.

— Prends bien soin de toi, Kat, lui dit-il en mettant son sac de voyage sur son épaule. Fais très attention. Il prit sa main dans la sienne, très doucement.

— Hale…

— Au revoir, Kat.

Le son de sa voix s'évanouit dans le vacarme des Klaxons et des sirènes. Il disparut en un clin d'œil dans la foule et le trafic.

Ça ne ressemblait pas à un rendez-vous clandestin ; il y avait cette vieille femme et ce jeune homme, assis sur un banc du parc, et une adolescente se dirigeait vers eux, l'air désespéré comme si elle venait de perdre son meilleur ami.

— Alors, c'est bien vrai ? demanda la femme.

La première fois que Kat l'avait vue, elle lui avait donné plus de quatre-vingts ans, mais ce jour-là, Constance Miller en paraissait bien dix de moins ; peut-être même vingt. Elle avait l'air épanoui. Kat regarda la buée sortir de sa bouche dans l'air glacé, se disant qu'il y avait de l'espoir caché dans le brouillard.

— Vous l'avez ? demanda Constance Miller. C'est pour ça que vous nous avez téléphoné ?

— Non, grand-mère. Un vol pareil aurait fait la une à la télévision et dans la presse. L'homme prit la main de la vieille dame.

— La réputation des médias est très surfaite, dit Kat en sortant l'enveloppe de sa poche et en la jetant sur les genoux de l'homme.

Il regarda le paquet comme si c'était une bombe miniature prête à exploser. Seule la femme osa la prendre, timidement, avec précaution.

— Est-ce que c'est vraiment…

— Vous pouvez regarder, dit Kat, en jetant un coup d'œil aux deux officiers de police en uniforme qui buvaient leur café à une dizaine de mètres de là, mais à votre place je n'y toucherais pas.

— Oh, je vous crois, dit la femme en prenant le paquet et en le serrant contre sa poitrine. Elle est là. Je le sais. Je le sens, dit-elle, et Kat comprit qu'elle ne parlait pas du poids ou de la forme de la grosse pierre qui se trouvait dans l'enveloppe. Elle n'avait pas besoin de la tenir entre ses doigts, elle la percevait avec son âme. Kat connaissait cette sensation. Elle l'avait déjà éprouvée à bord d'un autobus scolaire à Londres avec quatre toiles de maîtres. Elle l'avait vue dans les yeux de M. Stein chaque fois qu'elle lui avait ramené une œuvre disparue pendant l'Holocauste, afin qu'il puisse l'acheminer vers sa véritable destination.

– Oh, merci, Katarina. Merci. Si vous n'aviez pas été là avec M. Hale…

La femme se tut et jeta un coup d'œil alentour

– Où est votre ami ?

– Malheureusement, il avait d'autres obligations.

– Oh, dit Constance Miller. Remerciez-le chaleureusement pour moi, s'il vous plaît, je ne peux pas vous dire à quel point…

Mais elle ne trouvait pas ses mots.

– Est-ce que ça va aller, grand-mère ?

La main du jeune homme se posa sur l'épaule tremblante de la femme qui pleurait en serrant le précieux paquet sur son cœur.

– Je vais bien, parfaitement bien.

Kat avait rempli son devoir, achevé sa mission, alors elle décida qu'il était temps de s'en aller, de quitter le parc.

– Katarina !

Kat s'arrêta, se retourna vers la pierre précieuse inestimable qu'elle venait de voler et de redonner sans une arrière-pensée.

– Merci, Katarina. Merci, lui dit la vieille femme, qui ne pleurait plus et dont le sourire était différent. Nous n'aurions jamais pu faire cela sans vous.

Kat avait souvent entendu dire que demander à un bon voleur d'arrêter de gamberger et de planifier, c'était comme demander à un requin d'arrêter de nager, de sorte qu'elle ne put s'empêcher de penser en traversant le parc ce jour-là, dans le crépuscule qui descendait sur les rues de la ville.

Elle aurait pourtant voulu oublier la sensation de la pierre dans sa main, de l'air froid qui s'était engouffré autour d'elle, jusqu'à sa sortie dans la lumière à l'autre extrémité du conduit d'aération.

Elle n'avait aucune envie de penser à Hale, à son père et au Paraguay. Ou à l'Uruguay. Mais plus que tout, Kat, une fille qui avait du talent pour tout ce qu'elle entreprenait, refusait d'envisager l'idée qu'elle ne savait pas embrasser.

Non. Kat secoua la tête. Elle allait se dépêcher d'oublier ça.

D'autant plus qu'il y avait un Klimt au Caire et un Manet quelque part en Espagne. D'autant plus que M. Stein lui avait laissé un message concernant un Matisse, disparu depuis longtemps, qui risquait de réapparaître à tout moment quelque part sur la Côte d'Azur mexicaine.

Elle ne penserait pas non plus à quel point elle avait froid quand le bras de Hale n'entourait pas son épaule, lui dont la carrure faisait barrage contre le vent. Elle s'en fichait du Paraguay – ou de l'Uruguay – et de ce que sa famille avait décidé de voler.

Elle se dit qu'elle avait déjà trop de choses sur le feu et accéléra le pas, réconfortée, un peu plus sûre d'elle. Elle envisageait de téléphoner à M. Stein pour élaborer son prochain plan quand, passant devant un bar animé, elle entendit derrière le cliquetis des verres le son d'une télévision allumée qui attira son attention.

« L'Émeraude de Cléopâtre est l'une des plus célèbres pierres précieuses du monde, disait la présentatrice. Célèbre par sa taille, sa légende tragique, et – plus récemment – par le procès sans précédent qui a agité ces dernières années tous les tribunaux de la planète. La femme qui est à l'origine de ces procès est venue nous rejoindre ce soir pour sa toute première interview. Constance Miller, merci d'être ici avec nous. »

Kat se figea en écoutant l'histoire du père et de la mère de Constance Miller, qui avaient trouvé la pierre dans les sables égyptiens et *non pas* Oliver Kelly premier du nom.

Elle l'avait déjà entendue auparavant, bien entendu. Une première fois d'après la légende, et une deuxième de la bouche d'une femme, dans un petit restaurant, un soir de pluie. Cette fois, c'était une femme en veste de tweed avec un accent britannique qui la racontait.

Une femme qu'elle n'avait *jamais vue* auparavant.

Ce n'était pas tout à fait comme un tremblement de terre, Kat en était certaine. Et pourtant, c'était comme si les immeubles tremblaient. Une marée humaine passait à côté d'elle, qui demeurait immobile sur le trottoir.

– Excusez-moi, dit quelqu'un en la bousculant, mais Kat ne saisissait pas le sens de ces mots. Elle ne ressentait plus rien. Son esprit était occupé par la même histoire, racontée par deux personnes différentes, dont au moins une mentait. Une embrouille. Une escroquerie. Elle s'était fait avoir.

Son téléphone retentit, mais le son semblait provenir de l'autre côté de la planète. Kat avait l'impression de se mouvoir au ralenti ; elle mit la main dans sa poche et trouva la carte de visite blanche, avec les lettres noires imprimées, au nom de *Visily Romani*.

Au toucher, Kat sut immédiatement que ce n'était pas la même carte que Gabrielle et elle avaient vue dans la chambre d'hôtel des Miller. Le papier était plus doux, les caractères plus épais. Et dans son esprit, cela ne faisait aucun doute : *cette* carte était la vraie. Malgré son entraînement, son éducation, son héritage génétique, Katarina Bishop ne put s'empêcher de frissonner en retournant la carte pour lire les mots écrits à la main : *Récupère-la*.

CHAPITRE 13

Sur le seuil de la maison de Brooklyn, Kat observa la lumière, le long du corridor étroit qui allait du perron à la vieille cuisine. Elle savait déjà ce qu'elle allait trouver à l'intérieur : l'escalier en bois et le bureau, le salon et le cabinet de toilette.

Kat observa tout cela de son regard de voleuse. Elle connaissait par cœur les marches qui craquaient, les portes qui grinçaient, et pourtant elle resta sans bouger un long moment, à scruter la maison de son grand-oncle comme si c'était le seul endroit sur terre où elle n'avait plus le droit de pénétrer. C'était comme si le lieu était balayé par un faisceau laser. Un vrai champ de mines. Mais aussi de réponses. Ce dont Kat avait vraiment besoin pour l'instant.

— Oncle Eddie ! appela-t-elle dans l'obscurité de la maison.

La carte de visite était dans sa poche, son cœur battait à tout rompre. La gorge nouée, elle avala péniblement sa salive et recommença.

– Oncle Eddie !

Elle se faufila à travers le salon, dans le couloir ; la cuisine était vide, le fourneau éteint, il était inutile de chercher davantage pour savoir que son oncle n'était pas là. Elle se sentit seule dans cette grande maison, se demandant ce qu'elle allait faire. Si l'oncle Eddie avait été présent, il aurait pu lui demander de s'asseoir ou de déguerpir, de manger ou de pleurer. Elle voulait que quelqu'un pense à sa place parce qu'elle ne pouvait plus faire confiance à son jugement désormais. Alors elle resta debout dans le couloir, à réfléchir.

Je me suis fait avoir.

Je ne suis fait avoir.

Je me suis fait...

– Kat ?

Elle sursauta. Les lumières vacillèrent, et Kat se retourna pour voir le garçon qui se trouvait derrière elle.

– Bon sang, Simon, tu m'as vraiment foutu les jetons !

Elle s'arrêta pour l'observer, il était pieds nus et portait un pyjama bleu. Ses cheveux noirs étaient hirsutes, et il n'avait pas du tout l'air d'un génie en informatique. Son visage était écarlate.

– Tu as pris un coup de soleil, Simon ?

– Ne reste jamais en observation en haut d'une tour en plein cagnard.

– OK, répliqua-t-elle.

Elle avait envie de le serrer dans ses bras, mais ses brûlures étaient peut-être profondes, et puis c'était elle qui avait besoin d'être réconfortée.

– Où est l'oncle Eddie ? demanda Kat d'une voix de petite fille. J'ai besoin d'oncle Eddie.

— Il est parti, lui dit Simon. Il y a deux heures environ. L'oncle Félix a essayé le coup de la marmotte et de la marguerite, mais bon, voilà, quoi, je te fais pas un dessin…

— Il est tombé sur des conduites de gaz naturel ? devina Kat.

Simon confirma :

— Ouais, des conduites de gaz. Eddie est parti pour le Paraguay dès qu'il a appris la nouvelle.

Elle jeta un coup d'œil derrière elle dans le couloir vide.

— Où est Hale ?

Il y avait comme un vide dans l'estomac de Kat, un vertige la saisit. L'oncle Eddie l'avait laissée. Hale était parti. Constance Miller — peu importait qui elle était vraiment — appartenait à une autre catégorie de disparus, et soudain, Kat accusa le coup. Il fallait qu'elle fasse quelque chose, qu'elle trouve quelque chose, alors elle entra dans le bureau qu'elle n'avait utilisé qu'une ou deux fois dans sa vie.

Il n'y avait qu'une fenêtre étroite dans cette petite pièce, et la lumière qui filtrait à travers les stores était insuffisante, Kat appuya donc sur l'interrupteur. Des classeurs étaient alignés d'un côté, surmontés de boîtes et de vieilles enveloppes, de mots croisés inachevés et de magazines qui dataient. Derrière le bureau se dressaient des rangées d'étagères pleines de papiers et d'outils, de cartes poussiéreuses du réseau d'égouts situé sous le musée du Louvre à Paris.

— Qu'est-ce que tu fais ? lui demanda Simon tandis que Kat ouvrait le premier tiroir du classeur métallique le plus proche de la porte. Le tiroir était rouillé et grinçait, mais l'oncle Eddie était sur un autre continent ; alors elle tira plus fort et commença ses recherches à toute vitesse dans cet inventaire ahurissant :

Une boîte à chaussures pleine de vieux papiers d'identité.

Les plans d'une très grande banque, rédigés presque entièrement en japonais.

Des renseignements sur les gardes de la Tour de Londres en 1980.

– Est-ce que tu sais si l'oncle Eddie garde des renseignements sur les autres familles ?

Elle referma le tiroir du dessus et ouvrit le suivant.

Bordereaux d'expédition pour un pétrolier sortant de Stockholm.

– C'est quoi ces trucs-là ? demanda Simon.

Papier à lettres à en-tête de l'ambassade équatorienne.

– Des noms ? Des adresses ? Toute information qui permettrait de localiser les autres familles ?

Un trousseau de clés marqué : « Propriété privée de l'Exposition universelle de Montréal, ne pas dupliquer. »

– Je ne sais pas, dit Simon.

Il avait l'air effrayé, debout devant elle, tandis qu'elle refermait bruyamment le deuxième tiroir ; elle se retourna pour regarder les piles de documents, les boîtes et la poussière. En quête de réponses.

– Simon, j'ai besoin que tu me dises si l'oncle Eddie a un ordinateur quelque part. Est-ce que tu lui as déjà programmé un logiciel avec des données, ou un carnet d'adresses, ou bien…

– Kat, l'interrompit Simon. Tu parles de l'oncle Eddie, là.

Elle tira la chaise derrière le bureau, repoussa une maquette du musée du Caire, et s'assit.

– Kat, que se passe-t-il ? lui demanda Simon, comme un garçon qui a renoncé depuis longtemps à comprendre tout ce qui n'était pas constitué par des chiffres.

– Qu'est-ce que tu cherches ?

Kat ouvrit un tiroir du bureau et tomba sur un stock de jetons d'une valeur de un million de dollars, valable dans un casino de Las Vegas n'ayant jamais existé.

– Qu'est-ce qui ne va pas ? demanda Simon tandis qu'elle feuilletait un livre sur les catacombes et les passages secrets qui courent encore sous le Vatican.

– Kat ! hurla-t-il cette fois.

Il lui arracha le livre des mains.

– Kat, où est Hale ?

Et tout à coup, elle comprit qu'elle ne pouvait plus se cacher. Elle ne pouvait plus courir. Ne pouvait plus mentir.

– Hale est... dit-elle.

– Je suis là.

Et effectivement il était là, dans le couloir, derrière Simon.

Gabrielle apparut à son côté, et Kat ne savait plus si elle devait être soulagée ou gênée, honteuse ou coupable.

Elle esquissa un sourire.

– Je croyais que vous étiez au Paraguay.

Il laissa tomber son sac de voyage sur le sol et s'adossa au chambranle de la porte.

– Ouais, mais j'ai vu la nouvelle à la télévision.

Il n'y avait qu'un seul siège dans le bureau poussiéreux, très peu de lumière et rien à se mettre sous la dent, alors ils se dirigèrent directement vers la cuisine. C'était l'endroit consacré pour discuter de ces choses. Katarina préféra rester sur le palier

— Alors, c'était comment, le Paraguay ? interrogea Gabrielle tandis qu'elle, Simon et Hale s'installaient à leurs places respectives à table.

— Il y avait des tonnes de moustiques. Je déteste les moustiques !

Simon se gratta la jambe, mais son regard allait de Gabrielle à Hale, puis se posa finalement sur Kat.

— Qu'est-ce qui s'est passé ?

Hale et Gabrielle fixèrent Kat à leur tour. Cette dernière détourna les yeux.

— On est dans une drôle de... situation, déclara Hale.

À sa droite, Simon fit la grimace.

Gabrielle attrapa le tube de crème pour les brûlures que l'oncle Eddie gardait au-dessus du fourneau, prit la tête du jeune homme fermement entre ses mains et ordonna :

— Ne bouge pas.

— C'étaient les Russes ? demanda Simon ; il n'obtint pas de réponse. Le Brésil ? Ne me dites pas que quelqu'un du musée Henley a finalement...

— C'est Romani, l'interrompit Kat. Nous pensions... enfin *je* pensais que c'était Romani, mais...

Hale se leva, traversa la cuisine et s'approcha d'elle.

— Kat... Moi aussi, je les ai crus.

— J'aurais dû me méfier davantage.

— Et moi, c'est pas grave si *je* me suis fait avoir ?

Encore une fois elle l'avait vexé sans le vouloir.

— Tu voulais t'en aller, Hale. Tu as tout fait pour que je parte.

– Euh… est-ce que quelqu'un peut m'expliquer ce qui s'est passé ?

Lorsque Kat se tourna vers Simon, son visage enduit de crème brillait.

– Nous avons volé l'Émeraude de Cléopâtre, annonça tout simplement Gabrielle, alors Simon devint carrément pourpre.

– Vous avez volé, l'ém… Vous avez volé… Vous avez volé… Comment ? Pourquoi ? Comment ?

– *Alice au pays des merveilles*, ajouta nonchalamment Gabrielle. Kitty a remplacé la vraie par une fausse et elle est sortie du terrier sans que personne s'aperçoive de rien.

Elle fit un gros sourire à sa cousine comme si, finalement, elle commençait à l'approuver.

– C'était magnifique.

– Non, dit Kat en secouant la tête. C'était nul.

– Mais… articula péniblement Simon, les yeux écarquillés, mais l'oncle Eddie affirme que l'Émeraude de Cléopâtre est…

– Elle n'est pas maudite, rétorqua Hale.

Mais Kat ne pouvait pas s'empêcher de penser qu'elle l'était peut-être. Chaque fois que quelqu'un avait essayé de la voler, l'émeraude s'était toujours vengée. Elle tritura la carte de visite dans sa poche.

– Ils prétendaient que Romani les avait envoyés, tenta d'expliquer Kat. Ils disaient qu'ils étaient les vrais propriétaires de la pierre et que Romani les avait envoyés, et je…

– Qu'est-ce que tu racontes, Kat ?

Elle rit malgré elle de cette grosse blague qui n'en était pas une. Et alors, Katarina Bishop, l'héroïne adolescente la plus étonnante, la voleuse en herbe la plus ébouriffante, la plus sidérante, finit par leur dire :

— Je me suis fait doubler.

La Terre ne s'arrêta pas de tourner pour autant. Kat s'attendait que les murs de pierres brunes s'écroulent, que la table de la cuisine s'ouvre en deux sous ses mains. Mais les réactions autour d'elle, dans un silence tranquille et inimaginable, lui firent comprendre que la fille qu'elle était il y a à peine deux heures était morte.

— Oui, bon, et alors ? dit Hale après ce qui lui avait semblé être une éternité. D'accord. On s'est plantés. On a retenu la leçon. Terminé… Next !

— Non.

Kat posa la carte de visite de Romani sur la table. Tous trois se penchèrent au-dessus, et ce fut comme si la cuisine entrait dans une autre dimension, s'animait et murmurait en même temps qu'elle : « Ce n'est que le début. »

CHAPITRE 14

Il fallut presque une heure à Hale et Gabrielle pour raconter toute l'histoire à Simon. Quand ce fut terminé, Kat ne se laissa pas aller à gamberger sur toutes les données qu'elle ne connaissait pas encore. Elle se concentra uniquement sur les priorités.

– Combien de personnes connaissent le nom de Romani ?

– Tu veux dire en dehors de tous les gens qui ont entendu parler de l'homme mystérieux qui a laissé sa carte de visite dans le musée Henley ? À deux reprises ? demanda Simon.

– Ouais. Combien de personnes savent que Romani est un *pseudonyme chlovèque*, un des noms sacrés ?

Hale s'écarta de la table, en signe de retrait ; il laissait les gens de cette famille, ceux qui étaient quasiment nés dans la cuisine de l'oncle Eddie, réfléchir à la question, car il ne se sentait pas de taille.

– Vingt ? essaya de chiffrer Gabrielle. Cinquante ?

Mais Simon secoua la tête.

– Il n'y a pas moyen de le savoir.

– Oncle Eddie le saurait, murmura Kat.

– Non, répliqua Hale. N'en parlez surtout pas à l'oncle Eddie. Pas maintenant, non.

Et il ajouta en secouant la tête :

– Jamais.

– C'est pourtant l'univers de l'oncle Eddie, Hale. Il faut qu'on lui dise. C'est la seule personne qui puisse nous aider, rétorqua Kat.

– Il doit y avoir d'autres solutions. Regarde-moi. On va trouver une autre solution.

Le regard de Hale était chaleureux, tendre et réconfortant. Rien à voir avec le garçon distant dans la limousine.

– Êtes-vous sûrs de n'avoir jamais vu cette femme auparavant ? demanda Simon en essayant d'organiser toutes les données.

– Je ne sais pas... déclara Kat en hésitant. Il y avait quelque chose de chez elle qui m'était... *familier*. As-tu ressenti la même chose ?

Hale secoua la tête.

– Non.

– Je pensais avoir vu cette femme pour la première fois aux actualités télévisées, la vraie femme. Mais maintenant...

Kat s'arrêta, ne sachant pas comment continuer.

– Simon, est-ce que tu peux nous sortir un tableur ? lui demanda Gabrielle, en apportant l'ordinateur portable sur la table.

– En effet, ça pourrait être utile, dit-il en récupérant l'appareil.

– Il faut qu'on demande à l'oncle Eddie, insista Kat. Il faut qu'on lui en parle, on va lui demander pardon et le supplier de nous aider.

Elle était debout, la main sur le téléphone à cadran accroché au mur de la cuisine, dont le vieux cordon traînait sur le sol, mais Hale avait déjà traversé la pièce pour se saisir du combiné.

– Tu dois passer un coup de fil ? demanda-t-elle.

– Je ne vais pas te laisser faire ça, Kat, déclara lentement Hale. Je ne vais certainement pas te laisser te faire embrocher. Si tu appelles là-bas…

– Ben quoi ? J'ai entendu dire que l'Amérique du Sud c'est top à cette époque.

– À part les moustiques ! plaisanta Simon.

– À part les moustiques… c'est un endroit qui en vaut un autre pour mourir, ironisa Kat.

Hale secoua la tête.

– Il ne te le pardonnera jamais. Ou bien toi tu ne te le pardonneras jamais, et d'une manière ou d'une autre tu vas le perdre. Crois-moi. Je sais ce que c'est que d'être la déception de la famille.

Il lui prit doucement le combiné des mains.

– Et puis, tout le monde sait que je déteste les coups de soleil.

– Je te comprends ! dit Simon tandis que Gabrielle lui remettait une couche de crème pour calmer les brûlures.

Hale se radoucit et murmura uniquement à l'oreille de Kat :

– Est-ce que tu crois vraiment que l'oncle Eddie sera capable d'oublier que nous avons volé la seule chose qu'il nous ait jamais interdit de voler ? Comment crois-tu qu'il va réagir quand il saura que nous avons demandé à son frère Charlie de nous aider ? Je sais que je le connais depuis moins longtemps que toi, mais crois-moi Kat, si tu lui parles de ça…

— Quoi ? Il va me rayer de son testament ?

— Et tu auras besoin d'un héritage.

La présence de Gabrielle était discrète, tant elle était silencieuse, occupée à soigner Simon, concentrée sur sa tâche. Mais quand elle se leva et regarda sa cousine dans les yeux, il ne faisait aucun doute que Kat n'était pas la seule parente de l'oncle Eddie dans la pièce.

— Hale a raison.

— Mais… balbutia Kat.

— Mais rien du tout. Tu veux confesser tes péchés à l'oncle Eddie, très bien. Mais tu n'as pas le droit de confesser les nôtres. Et crois-moi Kat, il ne va pas seulement être en colère. Ça va lui briser le cœur… ajouta Gabrielle, la voix fêlée.

Hale se pencha en avant, poussa Kat contre le mur, et reposa lentement le combiné sur son socle.

— Romani est en charge de cette affaire, dit-il posément. Il n'était pas dans le coup au départ, mais il a glissé sa carte de visite dans ta poche, ce qui prouve que c'est lui qui dirige les opérations à partir de maintenant. Et pour le moment…

Kat sentait sa poitrine se soulever contre elle, lorqu'il prit une profonde inspiration.

— … nous allons récupérer l'Émeraude de Cléopâtre.

— C'est bien gentil, tout ça, dit Kat, sauf qu'on ne peut pas voler ce qu'on ne peut pas trouver, et l'oncle Eddie est la seule personne au monde qui pourrait savoir qui sont ces gens.

– La seule personne ?

Gabrielle croisa ses longues jambes et examina ses ongles. La question était apparemment innocente, mais elle insista :

– C'est toi le petit génie, Kat. Tu dois certainement pouvoir trouver *quelqu'un d'autre.*

J + 1 après le coup raté de Kat

Lyon
France

CHAPITRE 15

Dix-huit heures plus tard, Kat avait élaboré un plan, Hale avait affrété son jet privé, et les quatre adolescents se trouvaient dans le centre-ville de Lyon, en France.

Kat réprima un bâillement, mais elle n'avait pas vraiment sommeil. Les gens fatigués se débrouillent pour dormir dans leurs jets sans aucune difficulté. Si ça n'avait été que de la fatigue physique, Kat aurait pu s'endormir dans la limousine qui les attendait à la sortie de la piste d'atterrissage pour les conduire jusqu'à la sortie de la ville.

Mais tandis qu'elle déambulait à travers le marché, toutes ses couleurs et tous ses bruits l'envahissaient. Et quand Hale lui montra un croissant en s'exclamant :

— C'est moi qui invite !

Elle ne parvint pas à réagir.

— Merci ! dit Gabrielle en attrapant le croissant au passage dont elle dévora un morceau de pâte feuilletée au beurre.

Kat réalisa que ce n'était pas seulement la fatigue qui

entravait ses réflexes et son intuition. Il fallait se rendre à l'évidence, elle était en train de perdre son don. Ou, tout simplement, il fallait qu'elle l'admette, elle était touchée par la malédiction.

En marchant dans la rue ce jour-là, elle n'eut pas l'impression que Lyon était la deuxième plus grande ville de France. Les petits producteurs de fruits et légumes vendaient leurs marchandises sur les étals. Les commerçants balayaient leur entrée, deux policiers faisaient tranquillement leur ronde, ignorant que quatre des voleurs les plus malins de la planète, et parmi eux la plus futée de tous, se trouvaient juste à côté d'eux.

Gabrielle ne partageait pas les récents problèmes d'insomnie de Kat, elle bâilla et s'étira, habituée aux vols longs courriers.

Simon, de son côté, n'avait pas l'air du tout dans son assiette.

— À quelle heure doit-on rencontrer notre contact ?

— Oh, il ne s'agit pas d'une rencontre à proprement parler, lui répondit Kat.

Hale croisa les bras et s'appuya sur le parapet de pierres qui longeait le Rhône.

— Ça veut dire quoi, *à proprement parler* ?

— C'est juste un contact, expliqua Kat.

— Ce contact ne sait pas que nous venons, c'est ça ? demanda Hale, mais Kat détourna son regard du sien.

Elle cherchait une réponse lorsque Gabrielle lança les bras en l'air en s'écriant :

— Génial ! Il connaît l'oncle Eddie n'est-ce pas ? C'est lui qui va parler à l'oncle Eddie. Vous savez, ma mère m'attend au Paraguay dans les jours qui viennent. Et si je n'arrive pas…

— Personne ne parle à l'oncle Eddie, Gaby.

— Alors explique-toi, Kat, lui dit Hale en s'approchant tout près d'elle.

— Est-ce que cet homme mystérieux peut nous renseigner sur la fausse Constance, ou bien avons-nous fait tout ce chemin jusqu'en France pour rien ?

Kat réalisa à quel point il était impatient et inquiet. Le milliardaire blasé avait laissé place à un autre garçon. Un garçon qui se faisait du souci pour elle, et qui cherchait à l'empêcher d'aller trop loin. Constance – peu importe son vrai nom – avait volé beaucoup plus que la pierre de Cléopâtre, ses mensonges avaient fait des dégâts.

— Écoutez-moi tous, leur dit Kat. À ma connaissance, le registre des plus grands criminels de la planète se trouve dans la tête de l'oncle Eddie. Lui excepté, la meilleure source d'informations est ici…

— Tu veux dire *tout près d'ici* ? demanda Hale.

— Oh… en quelque sorte, répondit Kat en prenant une grande inspiration.

Kat désigna du doigt un immeuble qui se dressait de l'autre côté du fleuve. Ses amis se retournèrent et regardèrent au loin le soleil qui se reflétait sur le bâtiment surmonté d'une inscription sur laquelle on pouvait lire le nom d'INTERPOL.

— Très drôle Kat ! dit Simon et, voyant que personne ne riait, il lâcha : oh non !

Hale attrapa Kat par le bras.

— Il faut qu'on parle.

Hale était plus grand, plus large, plus fort, mais Kat

aurait pu l'arrêter si elle avait voulu. Du moins, c'est ce qu'elle croyait, quand il l'entraîna quelques mètres plus loin, à l'abri des oreilles de Simon et Gabrielle.

– Quand tu m'as dit que tu avais une source, j'ai cru que peut-être c'était... ton père, lui confia Hale.

– Constance, appelons-la comme cela, est de la vieille école, Hale. Si papa connaissait quelqu'un dans son genre, j'aurais déjà entendu parler d'elle.

– Et si ce n'est pas ton père... alors Charlie.

– Je croyais que tu n'aimais pas Charlie.

– Charlie était bizarre. Mais bizarre, je peux faire avec...

– Je croyais que tu avais dit que tu ne remonterais jamais en haut de cette montagne, même si ta vie en dépendait.

– Les hélicoptères, c'est bien. Je ne suis pas malade en hélicoptère.

– Je croyais que tu aimais la France.

Hale tendit le bras vers l'immeuble de la police.

– Il y a des choses que j'aime plus que d'autres !

Il l'attira doucement vers lui.

– Il doit bien y avoir quelqu'un qui peut nous fournir le tuyau dont nous avons besoin... il doit y avoir un autre moyen.

– L'autre solution c'est l'oncle Eddie, rétorqua Kat. Alors d'après toi, quelle est la plus terrifiante ?

Là-dessus, ils se tournèrent tous les quatre vers l'immeuble étincelant de l'autre côté du fleuve. Gabrielle fut la plus réactive.

– Alors, on s'y met quand ?

Kat était certaine que la suite de leur hôtel était la plus grande de toute la ville de Lyon (Marcus ne savait pas réserver dans des hôtels plus abordables), et pourtant l'endroit lui sembla ridiculement petit lorsqu'ils s'y retrouvèrent tous soixante-douze heures plus tard. Hale arpentait le lieu de long en large, Gabrielle paressait sur un lit, et les ordinateurs de Simon occupaient le reste de l'espace.

— Il ferment à quelle heure ? demanda Hale pour la dixième fois en deux heures.

— Ça ne ferme jamais ! répondirent Simon et Gabrielle en même temps.

Ils se tournèrent tous les trois vers Kat.

— C'est ça, ou l'oncle Eddie, leur dit-elle en tendant une main puis l'autre, comme pour équilibrer une balance imaginaire.

Simon frissonna et reprit :

— Bon comme je le disais, étant donné qu'Interpol est en contact – littéralement – avec le monde entier, ils travaillent et sont donc ouverts vingt-quatre heures sur vingt-quatre. L'endroit est toujours occupé. Et ils ont des caméras. D'excellentes caméras.

— J'espère bien ! s'indigna Gabrielle, c'est Interpol, quand même !

— Leur bâtiment est interdit au public, les entrées et les sorties sont strictement contrôlées par ces portes.

Simon désigna les entrées principales sur l'écran.

— Tu as quand même des bonnes nouvelles à nous annoncer, Simon ? s'inquiéta Gabrielle.

— Du point de vue de la sécurité, leur plus grandes préoccupations sont les attaques terroristes. Bombes, prises d'otages. Ils ont davantage de détecteurs de substances biochimiques au mètre carré que n'importe quel immeuble en Europe... Oh, et l'année dernière ils ont investi environ trois millions de dollars dans l'équipement d'un logiciel de reconnaissance faciale qui...

– On t'a demandé une bonne nouvelle, lui rappela Hale en lui donnant une bourrade dans le dos.

– Ils n'ont rien d'intéressant à voler, dit Simon, en jetant un coup d'œil à Kat. Enfin... pour des gens normaux. Sans vouloir te vexer.

Elle secoua la tête.

– Je comprends bien.

– C'est juste un immeuble de bureaux, avec des boxes, des classeurs et des salles de conférence. Pas d'argent liquide. Pas d'œuvres d'art. Rien à voler, alors si vous parvenez à y entrer, à part les gardes, ça ne devrait pas poser de problèmes à l'intérieur.

– Et les caméras, rappela Gabrielle.

– Et les caméras. Ils ont également un scanner biométrique rétinien, qui empêche les personnes non autorisées d'accéder à certains endroits. Mais pour le reste, c'est... du gâteau. Même leur système informatique est impossible à pirater depuis l'extérieur, mais une fois dedans, ça doit être un jeu d'enfant.

– Alors allons-y ! dit Kat.

Une des toutes premières choses qu'on apprend dès l'enfance, dans la famille de Kat, c'est que la peur est une faiblesse. Quand on a peur, on perd son sang-froid et sa capacité de raisonnement. Compter sur la peur de l'autre est un moyen de prendre l'avantage. Aussi, quand Simon et Gabrielle échangèrent un regard complice, Kat devina sur-le-champ à quoi ils pensaient.

– Florence Nightingale, dirent-ils tous ensemble avec un soupir.

– C'est quoi, ça ?

Hale ne comprenait pas. Kat devina qu'il était furieux, mais était-ce contre lui-même ou contre elle ? En tout cas, il n'avait pas l'air d'apprécier d'être étranger à la plaisanterie...

– Quoi ? Vous imaginez que vous allez pouvoir débarquer, comme ça, dans les bureaux du système policier international le plus pointu ? Et qu'ils vont vous ouvrir la porte pour vous laisser entrer ?

Kat se tourna vers lui en souriant.

– C'est *exactement* ce qui va arriver, en principe.

– Euh… hésita Simon, au risque d'énoncer une évidence, je me dois de vous signaler qu'Interpol possède la base de données des criminels internationaux la plus complète au monde.

– Tout juste, renchérit Gabrielle avec un hochement de tête.

– Et permettez-moi de vous rappeler que *nous sommes* des criminels internationaux… conclut-il, tandis que Kat lui décochait un grand sourire.

– T'inquiète, Simon. Personne ne sait que c'est un groupe d'ados qui a fait le casse au musée Henley !

J + 8 après que
Kat s'est fait piéger

Lyon
France

CHAPITRE 16

Amelia Bennett était devenue la plus haute gradée du
département d'Interpol où elle travaillait, parce qu'elle
savait faire des associations d'idées et lire entre les lignes.
Pour la plupart des gens, le fait de travailler au siège
mondial d'Interpol était considéré comme une promotion. D'un point de vue extérieur, le bureau central
d'Interpol était le nec plus ultra en termes de résolution
des crimes au XXIe siècle et pourtant, pour Amelia Bennett,
c'était une prison. Mais avec un sous-sol beaucoup plus
intéressant. Ce vendredi matin, une pile de dossiers poussiéreux sous le bras et le regard déterminé, elle entra dans
le bureau de son patron, sans même frapper à la porte.

— Bennett ! s'indigna Artie Dupree. Que faites-vous…

Mais il fut interrompu par le bruit énorme des documents qui s'abattaient sur son bureau.

— Qu'est-ce que c'est que tout ce… ?

— Des preuves, dit Amelia.

L'homme désigna un des documents posés devant lui.

— L'histoire du *poignard turc* ? Mais ça remonte à 1916, n'est-ce pas ?

Amelia croisa les bras et sourit.

— Oui, effectivement.

Alors ce fut le tour de son patron de ricaner.

— Alors, Dieu merci, je parie que vous avez résolu cette affaire.

Amelia, qui était une femme intuitive et une professionnelle parfaitement entraînée comprit que son patron voulait la congédier, mais fit mine de ne pas avoir saisi le message.

— C'est lui qui l'a fait, Artie.

— Qui ?

Amelia posa sa main sur le bureau et se pencha vers lui.

— Visily Romani.

Artie s'esclaffa.

— L'enquête sur le musée Henley est entre les mains des autorités compétentes, Amelia. Alors, à moins que le département des archives ne comporte un tunnel secret jusqu'à Londres, dont je n'aurais pas été informé de la présence, je vous suggère vivement…

Amelia posa sa main sur une de ses hanches sveltes, et toisa l'homme assis à son bureau.

— Je tiens vraiment à vous remercier, Artie. Avez-vous une idée de ce qu'on peut trouver dans des boîtes de dossiers périmés, quand on y consacre huit semaines ?

Artie leva les yeux vers elle.

— Des coupures de journaux ?

— Toute l'histoire de l'Histoire.

Amelia sourit comme si le jeu de mots, en définitive, le concernait lui. Elle prit le dossier le plus proche et le jeta sur le bureau.

— Vienne en 1962. Paris en 1926.

Un autre dossier atterrit sur le haut de la pile, et l'homme eut l'air physiquement blessé, comme si toute cette poussière et tout ce désordre étaient beaucoup trop dangereux pour ses sens délicats.

— Qu'est-ce que ces affaires ont en commun ? demanda-t-elle comme un professeur qui interrogerait un étudiant de façon rhétorique.

— Voyez-vous, Amelia, c'est que je suis très occupé...

— Ce sont toutes des opérations haut de gamme. Toutes impeccablement planifiées, j'irais même jusqu'à parler de jobs élégants.

— Amelia, vraiment...

— Et dans chacun de ces dossiers, on retrouve le même nom : Visily Romani.

Elle fouilla dans les documents, pour en sortir divers papiers qu'elle montra à son patron.

— Bon d'expédition à Berlin en 1935, commenta-t-elle, pointant une signature de Romani. Déposition de témoin en Turquie. Le nom du témoin...

— Romani, supposa Artie Dupree en soupirant d'un air exaspéré. Quel est le rapport avec l'affaire Henley ?

— Une douzaine de cambriolages de ce type, dans une douzaine de villes, au cours des quatre-vingt-dix dernières années. Et qui peut dire à quand remontent d'autres affaires du même genre ?

Ce fut au tour de son patron d'afficher un large sourire.

– Quatre-vingt-dix ans ? dit-il comme s'il mordait à l'hameçon. M. Romani était un homme très occupé, dites donc…

– Voilà le problème, Artie. Et si Romani n'était pas un homme ? avança Amelia en se penchant vers lui.

– Formidable ! Nous allons alerter Scotland Yard et leur dire de rechercher un vampire ou un loup-garou. Je suppose que vous avez fait des rapprochements croisés avec les cycles lunaires ?

– Et s'il s'agissait d'un *nom* ? supposa Amelia, inébranlable.

Elle étala les dossiers sur le bureau.

– Un nom usité par des tas de gens, et ce depuis très longtemps.

– Excellent !

Son patron repoussa les dossiers et retourna à son agenda, ses priorités et sa vie.

– Bravo, vous avez résolu l'énigme. Je vais appeler le musée immédiatement pour leur dire que l'œuvre de Léonard de Vinci *L'Ange retournant au Paradis*, a été volée par un *nom*.

– Il s'agit des crimes non résolus les plus célèbres de l'histoire. Cela ne vous intrigue pas ?

– Ils datent tous de plusieurs décennies, et le mot clé est « non résolu ».

– C'est leur point commun. Le fil rouge. Ces crimes sont tous reliés et si nous…

– Vous savez où se trouve l'*Ange* ? rétorqua-t-il d'un ton sec, et Amelia fit un pas en arrière involontairement.

– Non.

– Avez-vous des pistes qui peuvent nous conduire à l'arrestation de ce Romani... Ou, ajouta-t-il sarcastiquement, de *ces* Romani ?

– Si nous ouvrons l'enquête...

– Bennett ! La dernière fois que vous avez ouvert une enquête, vous avez juré que vous attraperiez un certain Robert Bishop.

Amelia croisa les bras et regarda le sol.

– Oui, je sais que cette enquête a été vraiment décevante. Elle a seulement conduit à l'arrestation d'un criminel international, à la récupération d'une statue d'une valeur de un million de dollars et de quatre toiles de maîtres inestimables qui avaient disparu depuis soixante ans.

– Si vous désirez vraiment résoudre l'affaire du Henley, je vous suggère de parler à votre fils.

Artie Dupree remit ses lunettes.

– Après tout, il était sur place... Mais qu'est-ce qu'il faisait là-bas, déjà ?

Une douzaine d'autres personnes lui avaient déjà posé la question.

– Il m'a dit qu'il y était par amour de l'art.

– Et vous le croyez ?

– C'est un adolescent. Il était probablement là pour impressionner une fille.

L'homme fit comme si tout cela était nouveau pour lui (ça ne l'était pas), il soupira comme s'il la comprenait (mais ce n'était pas le cas). Puis il la regarda comme si son sourire pouvait adoucir l'amertume de sa situation actuelle (même pas en rêve).

— Dans ce cas, je suppose qu'il n'y a plus rien que je puisse faire pour vous, agent Bennett ?

— Non, dit Amelia, en récupérant ses dossiers et en les serrant contre sa veste noire. J'ai déjà tout ce qu'il me faut.

Malgré toute son habileté et tout son professionnalisme, il y avait quelque chose qu'Amelia Bennett ne vit pas en retournant au sous-sol, au département des archives. Apparemment, c'était un matin typique ; elle croisa une foule de gens au regard encore endormi, qui entraient en glissant leur carte dans le lecteur magnétique. Les employés poussaient des chariots, et d'autres scannaient des documents, bref c'était une journée comme une autre, sur les rives du Rhône.

Tout eut l'air parfaitement normal jusqu'à ce qu'un bouquet de fleurs fraîches à l'intention du directeur soit emporté depuis la réception jusqu'au bureau dans les étages, déclenchant une demi-douzaine de détecteurs le long du chemin.

Quelques instants plus tard, au deuxième étage, un spray de mousse nettoyante pour tapis se mit à dégager des fumées apparemment toxiques.

Le directeur du service de sécurité intérieure d'Interpol se dirigeait vers la salle du courrier, quand il entendit dire qu'une machine à café toute neuve venait de prendre feu. Un four récemment mis en service à la cafeteria crachait une fumée si épaisse qu'elle empêchait toute visibilité.

— Que se passe-t-il ? s'enquit un des gardes dans la salle de sécurité.

– Toutes les toilettes des hommes au quatrième étage viennent de... régurgiter ! lui répondit-on.

À travers tout l'immeuble, les sirènes hurlaient et les capteurs se déclenchèrent. Puis une voix électronique résonna sans discontinuer : « IL Y A EU UNE VIOLATION DU PROTOCOLE DE SÉCURITÉ. VEUILLEZ REGAGNER LA SORTIE LA PLUS PROCHE. »

D'abord en français, puis en arabe, en anglais, et en espagnol ; il n'y avait donc plus qu'une chose à faire.

Tout le personnel des bureaux internationaux d'Interpol réagit comme il se devait, avec calme et discipline. Pour quelqu'un qui aurait observé la scène de l'autre côté du fleuve, ce n'aurait été qu'un petit incident mineur, un exercice d'évacuation. Faire déborder des toilettes, après tout, ne pouvait pas être considéré comme un incident international. La plupart des officiels d'Interpol déclarèrent plus tard que, au départ, ils auraient pu jurer qu'ils assistaient à une grosse farce inoffensive. En tout cas, ça y ressemblait fortement, jusqu'à ce que les camions de pompiers apparaissent, toutes sirènes hurlantes et leurs gyrophares en mouvement. La police elle aussi fut rapidement sur le secteur – presque trop vite, auraient pu dire certains – pour placer des barricades et bloquer le trafic.

Mais lorsque le gros camion blindé des forces spéciales de déminage arriva, les gens attroupés sur les trottoirs commencèrent à se demander s'il ne s'agissait pas d'une affaire plus grave.

– Reculez ! aboya le plus grand de l'équipe, qui portait un masque et un gilet pare-balles. Tous les employés sont sortis ? demanda-t-il à un homme muni d'un talkie-walkie.

– Oui, répondit l'homme, l'air confus et légèrement agacé. Mais c'étaient juste les toilettes… Ne pourrions-nous pas retourner à l'intérieur et…

– Alors maintenant, vous allez m'écouter ! cria l'homme masqué, dont la voix grave fit taire la foule qui se tourna vers lui pour l'écouter. Cet endroit possède les meilleurs détecteurs de substance biochimiques, et neuf d'entre eux ont réagi ces vingt dernières minutes. C'est le genre de choses que nous prenons très au sérieux dans mon équipe ; pas vous ?

L'homme au talkie-walkie resta silencieux, les paroles de l'homme encagoulé résonnaient dans son esprit.

– Faites ce que vous avez à faire, répondit-il, laissant les quatre hommes des forces antiterroristes franchir les portes de l'immeuble d'Interpol.

Katarina Bishop n'était pas claustrophobe, ou du moins, c'était ce qu'elle aimait à se dire alors qu'elle peinait à respirer derrière son masque. Après tout, elle avait déjà voyagé du Caire à Istanbul enfermée dans un sarcophage en or massif, alors ce ne pouvait pas être ce simple masque qui lui donnait des palpitations et la faisait transpirer autant, tandis qu'elle suivait Hale jusqu'au second étage où se trouvait l'unité centrale.

Hale s'arrêta sur le palier en haut des marches, regarda à droite, puis à gauche, et retira son masque.

– Simon, tu vas là-bas. Il désigna le long couloir vide. Gabrielle, tu peux…

Mais Hale s'interrompit quand Gabrielle buta contre la dernière marche, se tordit la cheville et dégringola les escaliers pour atterrir un étage plus bas.

Kat et Simon se regardèrent comme pour s'assurer qu'ils avaient bien vu la même chose : que Gabrielle était... tombée ?

Hale la rejoignit en dévalant les marches.

– Ça va ?

Gabrielle ne parvenait pas à réaliser ce qui lui était arrivé. Elle chercha le regard de sa cousine.

– Kat, est-ce que je viens de... tomber ?

– Oui. J'ai peur que oui.

– Mais je ne tombe jamais ! protesta Gabrielle comme s'il y avait eu maldonne.

– Est-ce que tu peux tenir debout ? lui demanda Hale en essayant de la relever.

Gabrielle ricana nerveusement.

– Bien sûr que je peux, aïe !

La douleur la fit tressaillir, mais la panique dans sa voix était beaucoup plus intense quand elle déclara :

– Kat, je ne peux pas me lever.

– T'inquiète pas, Gaby. Ça va aller. Reste assise ici sur les marches et attends-nous. Simon et Hale peuvent s'occuper de l'unité centrale. Moi je vais vérifier les dossiers dans les archives et...

– Je suis maudite, dit Gabrielle comme si elle n'avait pas entendu ce que disait Kat. J'ai balancé l'Émeraude de Cléopâtre sur le sol et maintenant... je suis maudite.

– Ne fais pas l'idiote, dit Kat en posant la main sur l'épaule de sa cousine.

– Ne me touche pas ! sursauta Gabrielle, je suis peut-être contagieuse.

– Kat...

Il y avait une touche d'impatience et de peur dans la voix de Hale.

— Il faut qu'on se bouge, dit-il, et il avait raison.

— Allez-y, rétorqua Gabrielle. Moi je surveillerai les portes d'ici.

— Mais… dit Simon.

— Allez-y ! cria Gabrielle, et Kat savait ce qu'il fallait faire.

— Combien de temps avant que la vraie brigade de déminage n'arrive ? demanda Hale en risquant un œil à travers les fenêtres imposantes.

— Le scénario le plus optimiste ? fit Kat.

Le garçon acquiesça.

— On ferait mieux de se dépêcher !

Kat se retrouva alors toute seule dans les profondeurs du bâtiment ; elle passa devant les services du contre-terrorisme, puis elle s'engagea dans un corridor entière-ment décoré des portraits d'anciens secrétaires généraux. C'était la transgression ultime, marcher dans ces couloirs très privés. Mais après tout, ça n'était jamais que des bureaux, et elle se précipita vers la petite porte qu'elle avait repérée sur le plan quelle avait appris par cœur ; en tout petit, une pancarte indiquait ARCHIVES.

Elle entra et s'enfonça plus profondément dans le ventre du bâtiment.

— Simon, tu en es où ? entendit-elle Gabrielle deman-der à trois étages de là.

— Eh bien, leur cryptage est vraiment bon, mais j'ai réussi à leur coller un virus dans le…

— Sois plus clair, mon vieux, lui demanda Hale.

— Ça y est presque.

– Kat ? l'appela Hale juste au moment où elle arrivait au bas des escaliers et ouvrait une autre porte. Elle s'arrêta sur une marche.

– Kat ? insista Hale. Qu'est-ce que tu…

– Heu… les gars…

Kat tenait fermement la rambarde en métal.

– Vous savez qu'Interpol est une sorte de bureau central d'informations n'est-ce pas ?

Elle n'attendit pas leur réponse.

– Je crois que je viens juste de… le trouver.

Du haut des escaliers, Kat avait une vue d'ensemble de la salle qui s'étendait devant elle, aussi vaste et infinie qu'un labyrinthe. Des étagères et des placards par milliers, remplis de documents, occupaient l'espace, qui paraissait aussi immense que le bâtiment lui-même. Des éclairages industriels éclairaient tristement l'endroit qui sentait le renfermé. Kat ne put s'empêcher de penser que ce lieu ressemblait à un cimetière – l'endroit où les anciennes affaires atterrissent après leur mort.

– Téléchargé à vingt-cinq pour cent, précisa Simon d'en haut.

Kat descendit, suivant les pancartes à moitié effacées qui balisaient les allées poussiéreuses, comme si des années-lumière s'étaient écoulées entre ces locaux et les bureaux high-tech des étages supérieurs.

Elle courut jusqu'à ce qu'elle atteigne la pièce la plus sombre, qui contenait les dossiers dédiés aux délits concernant l'art et la culture.

– Dites… Gabrielle demanda, à quoi va ressembler la *véritable* équipe de démineurs ?

– À nous ! répondirent Kat, Simon et Hale à l'unisson.

— Alors il serait temps de se diriger vers la sortie, les avertit Gabrielle, et Kat sentit son cœur battre encore plus vite.

— C'est bon je l'ai, tout va bien ! s'exclama Simon.

— Gabrielle, je viens te chercher, lança Hale.

Kat pouvait pratiquement percevoir les agissements, les mouvements de son équipe, mais de son côté elle était perdue au milieu de la multitude de documents qui se dressaient devant elle.

C'était comme se retrouver devant la version abrégée, et un peu moins bien organisée, de l'esprit de l'oncle Eddie.

— Kat, la voix de Hale était calme et posée dans son oreille. Ne prends pas de risques inconsidérés, lui demanda-t-il.

— Aucun risque inconsidéré, dit Kat, et elle commença à ouvrir les tiroirs. Elle ne savait pas ce qu'elle cherchait, mais elle se déplaçait à toute vitesse parmi les dossiers compilant les vols de bijoux, les travestissements d'escrocs, et en particulier les identités de femmes âgées se faisant passer pour des protégées de Romani.

— Tu m'entends ? demanda Gabrielle, j'ai l'impression que le chef de la sécurité est en train de se disputer avec les mecs de la brigade de déminage, il faut qu'on dégage vite fait.

— J'arrive, répondit Hale.

Kat referma un autre tiroir. Elle se retourna, balaya du regard les étagères à sa droite, puis s'arrêta sur les grandes, en métal, qui se trouvaient à sa gauche.

Elle resta immobile, à se demander comment s'y retrouver. Impossible de tout retourner, et pourtant la vérité était peut-être là, en train de pourrir avec le reste des documents classés.

C'est alors qu'elle l'aperçut : une boîte de classement poussiéreuse, sur l'étagère juste au-dessus de sa tête. Une vieille photo était collée sur l'étiquette. Une photo en noir et blanc, mais Kat savait que la pierre précieuse qui y figurait était d'un vert étincelant. Elle le savait parce qu'une semaine plus tôt elle la tenait dans ses mains.

– Kat ! résonna la voix de Hale dans son oreillette.

– J'arrive ! s'écria-t-elle en attrapant la boîte sur l'étagère.

Elle était déjà en train de courir dans les allées lorsque son téléphone vibra et commença à résonner dans le vaste espace. Elle laissa tomber la lourde boîte sur une petite table en bois et fouilla dans la poche de son uniforme commando à la recherche du téléphone. Mais il s'arrêta de sonner, et elle se retrouva nez à nez avec une montagne de classeurs poussiéreux. Tout en haut de la pile était posé un bloc-notes jaune, couvert de notes gribouillées à la hâte. Des flèches dans tous les sens convergeaient toutes vers un seul nom :

Romani.

– Kat, nous sommes presque arrivés au point de rendez-vous. Je ne te vois pas…

La voix de Hale était impérieuse dans son oreille, mais c'était plus fort qu'elle, il fallait qu'elle voie ce qu'il y avait dans les dossiers.

– Kat ! entendit-elle crier Hale, mais les documents étaient à sa portée, recelant des secrets qu'une poignée de personnes à travers le monde seulement connaissaient.

Tout était là. Elle avait le temps. Elle pouvait regarder. Elle pouvait…

— Kat, insista Hale à nouveau, tu viens ?

— Juste une minute.

— Nous n'avons pas une minute, dit Hale au moment où, trois étages plus bas, les sirènes commençaient à hurler.

Kat comprit qu'elle n'avait pas d'autre choix que de s'en aller. Mais elle reviendrait bientôt. Elle recommença à courir avec la boîte au moment où quelque chose la stoppa net dans son élan.

— Je sais, monsieur, dit une voix derrière Kat, cachée dans le labyrinthe d'étagères. Apparemment, les alarmes ne sonnent pas dans le sous-sol, n'est-ce pas ? Je suis désolée, j'ai dû les rater.

Puis durant un long moment, elle entendit seulement le bruit de talons aiguilles claquant sur le sol de béton.

Cette voix, Kat pensa. *Ces talons hauts.* Elle jeta un coup d'œil sur la table, sur les piles de documents qui portaient tous le nom de Romani, et elle sut immédiatement qui était la personne qui approchait.

— Oui, dit Amelia. Je me dirige en ce moment vers la sortie de secours.

Elle mentait. Kat l'entendit tourner à un angle de rayonnages, alors elle planqua la boîte sous un bureau tout proche et s'y glissa à son tour, réalisant trop tard que quelqu'un d'autre y était déjà caché.

— Kat, c'est toi ? demanda une voix qu'elle connaissait trop bien.

Kat sentit son téléphone vibrer, elle le sortit de sa poche pour l'éteindre avant qu'il se mette à sonner, maudissant sa négligence et… les malédictions.

156

— Kat, tu es là ? demanda son père au téléphone.

Mais Kat était hypnotisée par le regard de quelqu'un qu'elle n'avait pas vu depuis des mois et elle dit :

— Papa, je te rappelle tout à l'heure.

Dans le vocabulaire du voleur, il y a beaucoup de synonymes de *foutu, grillé, niqué, dead*... tous ces mots pouvaient décrire la situation, mais ce n'étaient pas ceux qui venaient à l'esprit de Kat.

— Nick ? demanda-t-elle dans un souffle, qu'est-ce que tu fais...

— Chuuut.

Il l'attira contre lui, Kat entendit la femme se rapprocher d'eux.

— Alors... murmura Kat lorsque la femme s'éloigna dans l'autre aile, ta mère a été mutée ? J'imagine que lorsqu'on retrouve quatre tableaux de maîtres et qu'on coffre un criminel international, c'est bon pour l'avancement !

— Oui, mais quand cette femme a un fils qui se retrouve piégé dans une salle du musée Henley, ça ne le fait pas vraiment...

Kat haussa les épaules.

— Désolée.

— Pas de problème.

Nick jeta un coup d'œil sur la boîte de documents poussiéreux comportant *la photo de la grosse pierre verte*.

— Tu fais des recherches ?

— Un article pour le journal du lycée. Et toi ?

— C'est pour ma journée de stage obligatoire, il y a des

tas de tuyaux ici, mentit Nick avec autant d'aplomb qu'elle.

– Kat ! hurla Hale dans son oreille. Kat, où es-tu ? Je viens te chercher.

– Non, dit Kat, et le regard de Nick lui prouva qu'il savait exactement à quoi elle pensait.

– Il est temps de partir ? demanda-t-il.

– Ouais, dit Kat en ressortant la boîte de sous le bureau et en s'extrayant de sa cachette. Nick tendit la main et lui prit le bras.

– Où vas-tu ?

– Dehors, dit Kat, comme si c'était évident.

– Alors ne prends pas les escaliers principaux, lui conseilla-t-il, et il désigna un coin au loin. Il y a une sortie de secours là-bas au fond. Je pense que quelqu'un a débranché les capteurs et déverrouillé la serrure ce matin.

– Oh, *quelqu'un* a fait ça ? demanda-t-elle.

Nick confirma, sortit du bureau, et s'en alla dans la direction que sa mère avait prise.

– Nick ? l'appela Kat en prenant le risque qu'on entende sa voix ; elle souleva la boîte : quels documents recherchais- tu ?

Il haussa les épaules.

– Les tiens.

CHAPITRE 17

Ce fut relativement aisé de retourner à l'avion. Ils franchirent la douane sans problème. Ce qui était difficile, réalisa Kat, c'était de regarder par les hublots du jet privé qui les emmenait à New York, et de voir pour la première fois le monde sous un angle complètement différent de celui auquel elle était habituée.

– Est-ce que c'est elle ? demanda Simon qui avait tendu un drap blanc faisant office d'écran à l'avant de la cabine des passagers.

Kat jeta un coup d'œil sur l'image d'une femme magnifique, habillée exactement comme la princesse Anastasia.

– Bien entendu, ce film a été tourné il y a cinquante ans, mais...

– Non, dit Kat en secouant la tête.

– Et elle ? demanda Simon, cette fois à propos d'une jeune femme en sarong, perchée sur un éléphant.

Cette fois ce fut Hale qui répondit :

– Non

— Et *elle* ?

— Ça, c'est l'oncle Félix travesti, Simon, déclara Kat.

— Oh, oui ! firent Simon et Hale, penchant la tête sur le côté pour détailler la silhouette stupéfiante portant un chapeau incroyable lors du mariage royal de Charles et Diana.

Hale compulsait frénétiquement la montagne de documents que Kat avait récupérés dans les sous-sols d'Interpol. Simon était aux commandes d'un incroyable équipement informatique, et des milliers de données d'Interpol commencèrent à s'imprimer sur les écrans, à trente mille pieds d'altitude.

Kat retourna à la contemplation des petites villes et des paysages de campagne verdoyants, puis à l'océan d'un bleu profond, en se disant que la Terre n'était pas un monde aussi petit que cela, après tout.

Oui, évidemment. C'était une chose étrange de prendre conscience pour la première fois à l'âge de quinze ans que la cuisine de l'immeuble en pierres brunes n'était qu'une petite pièce de quatre mètres sur trois... Tout bien réfléchi, trois mois avant l'automne précédent, Kat vivait dans un vase clos où tout le monde se connaissait, où tout le monde connaissait son père et avait adoré sa mère, et où Eddie était le plus célèbre tonton flingueur.

Kat plongea son regard dans l'immensité et murmura :

— Le monde (elle se pencha pour toucher le hublot) est immense.

— Et maudit ! grogna Gabrielle en essayant de trouver une position plus confortable pour son corps meurtri dans le fauteuil de cuir souple qui faisait face à celui de sa cousine.

160

Elle posa sa cheville enflée sur les genoux de Kat.

– Alors, Katarina, demanda Gabrielle, pour en revenir à Interpol, pourquoi étais-tu en retard ?

Les plus fins voleurs finissent toujours par rencontrer quelqu'un à qui ils ne peuvent pas mentir et, que cela lui plaise ou non, Kat réalisa que cette personne était Gabrielle. Un ange passa et les deux cousines se turent, parfaitement complices.

– J'ai été retardée, répliqua Kat.

– Je vois.

– Pas la peine d'en faire tout un plat, tenta Kat.

– Ben voyons…

– Il y a eu un blème, ajouta Kat en haussant les épaules.

– Il y a toujours un blème.

Gabrielle se rapprocha et murmura :

– Dis-moi seulement si ce blème a un nom ?

Kat s'apprêta à répondre, mais devant les yeux écarquillés de sa cousine elle comprit que Hale était debout dans son dos. Il posa ses mains sur ses épaules.

– Hé.

Elle le regarda.

– Coucou !

– Tu vas bien ? lui demanda-t-il, en s'asseyant sur le siège, derrière elle. Il lui paraissait immense et chaud, rassurant et… terrifiant. Oui, terrifiant était le mot qui lui venait à l'esprit, parce qu'il se pencha tout près pour examiner la cheville de Gabrielle, et la seule chose à laquelle elle pouvait penser c'était *je t'ai embrassé. Je t'ai embrassé. Je t'ai embrassé !*

– Kat ? l'interpella-t-il à nouveau.

– Je vais bien oui, dit-elle un peu trop rapidement.

Hale regarda Gabrielle qui croisa les bras, fixa sa cousine, et dit :

– Bon, maintenant je veux la vérité...

– Rien. C'est juste que... (Kat secoua la tête et retourna à son hublot) le monde est tellement grand.

Dans le reflet de la vitre, elle vit Hale. Il lui rappelait son père, plein de charme et d'énergie positive.

– Pas si grand que ça, dit-il, il y a, disons, à tout casser... six grandes familles ?

– Sept, répondirent Kat et Gabrielle à l'unisson.

Hale désigna l'un des ordinateurs de Simon.

– Mais ici on en trouve six.

– Les Australiens ont lâché l'affaire dans les années 1980.

– Sale business ! frissonna Gabrielle. Il ne faut jamais se trouver entre deux frères et un bateau naufragé de l'armada espagnole. Faites-moi confiance.

– Bon.

Hale se leva et se dirigea vers Simon entouré de ses ordinateurs.

– Sept familles. C'est un début. Qu'avons-nous d'autre ?

– Eh bien, dit Gabrielle avec un gros soupir, nous savons qu'elle a été suffisamment intelligente pour trouver Kat et la rouler dans la farine. Sans vouloir t'offenser...

– Pas de problème, dit Kat.

– Et... Gabrielle parla lentement en détachant chaque mot, *c'est une femme.*

– Très bien, Gabrielle, se moqua Hale. Mais, devant l'expression de Kat :

– Quoi ?

– Combien de filles connais-tu dans le métier ? lui demanda-t-elle.

– Eh bien... je vous connais, toutes les deux... répondit-il, penaud.

– Exactement. Un club réservé aux garçons, cher monsieur.

Gabrielle croisa sa jambe valide par-dessus l'autre comme pour signifier qu'elle avait entièrement raison.

– Il ne peut pas y avoir beaucoup de femmes qui...

Simon leva les yeux de son clavier.

– Selon Interpol, il y en a neuf cent soixante-dix.

Il désigna les images sur l'écran, qui défilaient à intervalles réguliers.

– Et encore, c'est uniquement celles dont ils ont une photo.

– Ce qui ne nous apprend pas grand-chose. Pour la plupart, nous n'avons que des noms, et généralement ce sont des pseudonymes. Ça nous aiderait si nous avions un âge.

– Cinquante ? proposa Hale, alors qu'au même moment Kat proposait :

– Quatre-vingts ?

– Approximativement... dit Simon, en ajoutant cette information dans l'ordinateur. Quelle nationalité ?

– Elle avait un accent britannique, commença Hale, mais...

– Elle pourrait venir de n'importe où, continua Kat. Elle pourrait aller n'importe où et, les gars, il faut être réaliste, cette femme pourrait être n'importe qui.

– Pas n'importe qui, plaisanta Hale. Moi je peux vous assurer que ce n'est pas ma tante Myrtle !

Kat sentait ses espoirs s'évanouir.

– Et même si on savait qui elle est, ça ne nous dirait pas *où* elle se trouve, ni pourquoi elle et son petit-fils... ont fait ça.

Hale éclata de rire.

– Même au marché noir, la pierre doit valoir des millions de dollars, Kat, alors c'est tout vu !

– Mais pourquoi le faire de cette manière ? insista Kat. Pourquoi risquer la colère d'Eddie et le rejet de toute une famille, quand on peut faire autrement ?

Hale s'assit et releva les jambes.

– Parce qu'ils n'ont pas pu faire autrement.

– Mais... pourquoi ? demanda Kat.

Elle resta scotchée sur l'énigme.

– Pourquoi prendre le risque de nous faire faire le sale boulot, alors que rien qu'en mentionnant le nom de Romani ils auraient pu trouver une demi-douzaine d'équipes tout aussi qualifiées que nous ? Cette femme...

Kat se tut, à cours d'arguments, comme si elle ne pouvait plus se faire confiance.

– Quoi ? insista Gabrielle, se rapprochant plus près.

– Non rien. C'est juste que... pendant une seconde j'ai cru...

– Que tu la connaissais ? devina Gabrielle.

Kat repensa au regard de la femme, dans le parc, quand elle l'avait interpellée pour la remercier.

– Non. C'était plutôt elle qui avait l'air de me connaître. Comme si elle me félicitait pour le travail.

Comme si elle en savait bien plus que la petite dame de Loxley, et moi j'aurais dû être plus prudente.

Kat cherchait les mots justes.

— Elle m'a regardée comme l'oncle Eddie.

— *L'oncle Eddie, en femme*, dit Gabrielle d'une voix mi-craintive, mi-admirative, comme si cette femme était un croisement entre un dragon et une licorne, tout aussi fantastique, et deux fois plus dangereuse.

Une télé était allumée au fond de l'avion, les présentateurs faisaient le point sur la météo et la Bourse.

— Euh... intervint Simon, mais Kat s'était retournée vers son hublot.

— Mais enfin, pourquoi nous avoir embrouillés pour voler l'Émeraude de Cléopâtre ? dit-elle tranquillement, en répétant la question qui les avait conduits à traverser l'océan dans un sens, puis dans un autre. C'était le genre de question qui pouvait hanter l'esprit de Kat pour le restant de ses jours.

— Dites... reprit Simon d'une voix plus forte, mais Kat était perdue dans ses pensées, le nez sur la vitre.

— Pourquoi nous avoir embrouillés ? murmurait-elle.

— Peut-être à cause de...

La voix de Simon se brisa :

— De ça !

Kat se retourna comme il pointait du doigt l'écran de télévision, désignant la femme qu'ils avaient rencontrée sous le nom de Constance Miller. Pendant un court instant, elle crut que Simon avait trouvé cette photo parmi les documents d'Interpol, mais elle réalisa que la photo bougeait, et que la femme avait l'air d'être mitraillée par des milliers de flashes. Elle tenait l'Émeraude de Cléopâtre en hauteur pour que tout le monde puisse la voir.

Simon s'éclaircit la gorge :

– D'accord, est-ce que c'est moi, ou bien est-ce que ça fait d'elle la plus redoutable voleuse de tous les temps ?

CHAPITRE 18

Bien que l'appareil soit à la pointe de la technologie, que ses pilotes soient parfaitement formés, Kat ne pouvait s'empêcher de s'imaginer qu'ils étaient en train de tomber, que l'avion chutait. Cela expliquait sans doute pourquoi elle avait l'estomac noué tandis que Simon montait le volume de la télévision ; au bas de l'écran on pouvait lire : *Duplex en direct de Monaco.*

— Est-ce qu'ils ont trouvé la contrefaçon ? demanda Hale, en se rapprochant de l'écran. Est-ce qu'elle a été arrêtée ?

— Non.

La voix de Kat était neutre et monocorde, comme si elle était sortie de son corps pour regarder ; elle était capable de prendre du recul, de changer de perspective, ce dont même son grand-oncle aurait été fier.

— C'est un coup monté.

Ensemble ils regardèrent un homme chauve vêtu d'un costume élégant s'avancer sur le podium. « Mesdames et messieurs les journalistes, je m'appelle Pierre LaFont, je représente la société de commissaires-priseurs LaFont, ici à Monaco. Mme Brooks se joint à moi pour vous remercier d'être venus ici aujourd'hui. » Il parlait anglais avec un accent français très prononcé. Il ne leva pas le nez de son papier avant la fin de son discours. « Je vais vous lire un bref communiqué, puis Mme Brooks répondra à vos questions. » Il chaussa une paire de lunettes et examina une feuille de papier tandis que la salle demeurait silencieuse.

« Il y a trois jours, Mme Margaret Brooks examinait une collection d'antiquités qui lui venait de son défunt mari et qui avait été récemment transportée de sa résidence secondaire près de Nice en France. À l'intérieur d'une urne ayant été brisée pendant le transport, Mme Brooks a trouvé une grosse émeraude, vraisemblablement dissimulée depuis fort longtemps. La pierre, de quatre-vingt-dix-sept carats, est de la plus grande pureté. Une équipe d'experts est maintenant en route pour Monaco, pour effectuer les divers estimations, examens, et vérifications. En tant qu'expert, je puis quant à moi avancer, en raison de la taille, de la qualité et de l'aspect de l'émeraude en question, que Mme Margaret Brooks a a en sa possession l'Émeraude de Marc Antoine. » L'homme prit une profonde inspiration, comme s'il venait de plonger du haut d'une falaise. « Mme Brooks va maintenant pouvoir répondre à vos questions. »

Si les membres de la presse paraissaient stupéfaits, leur réaction n'était rien en comparaison de celle des quatre adolescents qui regardaient la scène à trente mille pieds d'altitude.

À l'autre bout de la cabine, Simon continuait la projection. Les photos de toutes les voleuses répertoriées à Interpol défilaient sur l'écran, mais aucune des femmes n'arrivait à la cheville de celle qui apparaissait à la télévision.

Elle ne portait plus la perruque et les vêtements d'une pauvre grand-mère et, lorsqu'elle prit la parole, ce fut avec un fort accent texan.

— Ne faites pas comme Pierre. Appelez-moi Maggie.

— Maggie ! Maggie ! crièrent les journalistes, essayant d'attirer son attention.

— Eh bien, que d'agitation pour un vieux caillou de rien du tout, commença-t-elle en toisant la foule, ravie d'être le centre d'intérêt, avant de désigner un correspondant international particulièrement séduisant. Qu'est-ce que je peux faire pour toi, mon chéri ?

La foule éclata de rire.

L'homme ricana.

— Croyez-vous à la malédiction, Maggie ?

Maggie jaugea le jeune homme.

— Peut-être que je crois au destin. C'est quoi ton nom, mon lapin ? demanda-t-elle, sans vraiment attendre de réponse. Mesdames et messieurs, reprit-elle plus sérieusement en se rapprochant de la foule, je viens du Texas ; je sais me servir d'un fusil et monter à cheval depuis que je sais marcher. J'ai épousé et enterré quatre maris, tous plus riches les uns que les autres. Qu'ils reposent en paix, ajouta-t-elle rapidement, comme si c'était une formule habituelle. Alors, ce n'est pas une malheureuse petite pierre qui va me faire peur !

– Pourquoi ne la gardez-vous pas, Maggie ? s'écria un autre journaliste.

– Je suis riche, répondit-elle, et je suis vieille. Certains me disent que cette émeraude va me faire rajeunir, mais moi je crois surtout qu'elle va me rendre encore plus riche... D'ici une semaine, je vendrai ce caillou au plus offrant. Et mon petit doigt me dit que quelqu'un va le payer très cher...

Elle fit mine de partir.

– Le coup de l'épaule, dirent Kat et Hale en même temps.

C'était une stratégie classique. Simple, mais très efficace, parce que la foule se mit à hurler encore plus fort : « Maggie ! »

– Oui ? répondit-elle en les dévisageant telle une grand-mère surprise que ses petits-enfants ne se soient pas déjà enfuis pour aller jouer.

– Qu'avez-vous pensé quand les déménageurs ont cassé votre urne vieille de deux mille ans ? cria un journaliste à l'extérieur de la foule.

Ce fut alors le tour de Maggy de rire aux éclats.

– Peut-être que je devrais les laisser casser tout ce qui m'appartient !

– Pensez-vous que l'émeraude est véritable ? l'interpella un des journalistes.

– Eh bien, je ne me suis jamais posé la question.

Quand la foule recommença à rire, Kat reconnut *la petite musique*. C'était la marque de la plaisanterie, le signe qu'ils vous adoraient, qu'ils croyaient en vous et qu'ils vous donneraient les perles de leur grand-mère, le code de leur carte Bleue, tout et n'importe quoi. Parce que, alors, ils étaient sous l'emprise de... l'adoration. L'accent du Sud de Maggie aurait pu être faux, mais elle était la reine du bal et personne ne pourrait le contester.

— Laissez-les faire leurs petites expériences, les gars. Je pense que nous savons tous très bien ce qu'elles vont révéler, conclut-elle.

La conférence de presse terminée, les quatre adolescents restèrent cloués à leur siège, sidérés de ce qu'ils venaient de voir.

— Les gens croient qu'elle va vendre la pierre de Marc Antoine, dit Gabrielle avec un mélange d'étonnement et d'admiration et de désarroi.

— Dans sept jours, ajouta Simon.

— À Monaco, renchérit Kat en se tournant vers Hale, chacun d'entre eux sachant exactement ce qu'il avait à faire.

— Marcus, dit Hale en appuyant sur le bouton de communication avec la cabine de pilotage. Nous allons devoir faire demi-tour.

J –6 avant la vente aux enchères

Monte-Carlo
Monaco

CHAPITRE 19

Dans les jours qui suivirent, personne ne mentionna le fait que jusqu'alors, Margaret Covington Godfrey Brooks était une parfaite inconnue.

Les dames de la haute société d'Atlanta se sont soudain rappelé avoir déjeuné avec elle durant la période où elle et son second mari étaient supposés habiter à Buckhead. L'association des anciennes étudiantes de l'université du Texas retrouva trace d'une poignée de chèques certifiés et de généreuses donations de cette personne, bien que son nom ne dise absolument rien aux gens des promotions des années 1950 dont elle faisait apparemment partie.

Les habitants des beaux quartiers de East Hampton semblaient se souvenir d'une série de soirées fastueuses données en l'honneur du troisième mari de Maggie dans sa résidence d'été. Et au moins deux anciens présidents des États-Unis avaient prétendument chassé en compagnie de Maggie elle-même, sur les immenses terres giboyeuses de l'est de Lubbock (Maggie était d'ailleurs la meilleure gâchette qu'ils aient jamais vue).

Kat savait que ce n'étaient pas sciemment des mensonges. C'était le fruit de petites graines d'intox que seul un grand escroc pouvait avoir semées, et que seul un super grand escroc pouvait avoir fait pousser.

Moins de vingt-quatre heures après la conférence consacrée à l'Émeraude de Marc Antoine, le nom et la photo de Maggie faisaient le tour du monde. Et pourtant rien ne prouvait techniquement que cette femme existait, une semaine avant de devenir une personnalité internationale.

La célébrité, après tout, n'est qu'une question de suggestion. Et la suggestion, Kat le savait, était l'arme fatale de l'escroc. Personne ne songea donc à vérifier le nom ou les comptes en banque, ou aucun des faits qui entouraient la femme à l'émeraude.

Parce que quand une émeraude de quatre-vingt-dix-sept carats est mise en pleine lumière, sa propriétaire peut facilement se dissimuler derrière. Même une femme comme Maggie.

– La voilà.

Quelques heures auparavant, Kat craignait que la femme qui se trouvait de l'autre côté de la rue ne soit qu'un jouet de son imagination, un cauchemar, un fantôme. Bien entendu, en théorie Margaret Brooks n'existait *pas*, mais Kat n'avait qu'à regarder la femme, entendre sa voix éraillée, pour savoir que ce n'était pas un fantôme. Elle réfléchit à ce que Constance... ou Maggie... avait osé faire, et une partie d'elle-même ne pouvait s'empêcher de penser que cette femme... était un mythe, une légende.

176

Elle ne pouvait ignorer le fait que curieusement, après l'avoir poursuivie sur plusieurs continents, craignant qu'elle ne s'envole en fumée, ils l'avaient trouvée moins de vingt minutes après avoir atterri devant un petit aéroport privé près de Nice.

Bien entendu, le fait que Monaco ne soit qu'une ville constituée de quelques hôtels de luxe et d'une côte rocheuse de deux kilomètres de long avait facilité les choses. Mais s'ils l'avaient retrouvée si facilement, c'était que visiblement Maggie ne faisait absolument aucun effort pour se cacher.

Les photographes mitraillaient et les passants criaient, et elle les saluait avec panache, allant d'une boutique de luxe à une autre, d'un restaurant gastronomique à un autre, prenant le thé avec tout le gotha.

Kat la haïssait. Et Kat l'enviait. Mais surtout, elle essayait imaginer ce que cela faisait d'*être elle*, aussi tranquille, intelligente et professionnelle.

Les années d'un voleur défilent sept fois plus vite que celles des autres, lui avait toujours dit son père, alors à ce compte-là, Kat était bien plus âgée que ses quinze ans. Mais cette nuit-là, alors que de la rue elle regardait la fenêtre de l'hôtel cinq étoiles où résidait temporairement Maggie, elle ne put s'empêcher de se trouver naïve, inexpérimentée et... jeune. Et elle n'aimait pas cette sensation.

Lorsque son téléphone sonna, elle regarda l'écran et vit que c'était son père qui l'appelait ; et là, elle se sentit jeune pour des raisons complètement différentes.

— Il va bien falloir que tu lui parles, tu sais.

Elle se retourna, Hale se trouvait juste derrière elle, sa

177

veste jetée négligemment sur l'épaule, avec la dégaine d'une star de cinéma.

Kat remit le téléphone dans sa poche.

— Au son de ma voix, il saura tout de suite que quelque chose ne va pas.

— Et en quoi serait-ce une mauvaise chose ?

— Il ne peut rien faire pour moi, Hale. C'est à moi de réparer mes erreurs.

Le soleil s'était couché et, tandis qu'ils se dirigeaient vers la plage, la lune s'élevait au-dessus de la Méditerranée. Tout était calme et paisible, l'endroit rêvé pour dire :

— Voilà pourquoi je pense qu'il serait préférable que... vous partiez tous.

Kat s'arrêta soudain, Hale faillit la percuter. Gabrielle et Simon les observaient à moins de deux mètres de là. Oui, tout le monde la regardait. Tout le monde attendait. Alors elle ajouta à l'attention du garçon à côté d'elle :

— Tu avais raison, Hale. C'était un coup foireux. Tu avais raison de vouloir lâcher l'affaire.

— Kat...

Hale essaya de la rattraper, mais même dans le sable, elle courait plus vite que lui, et il n'attrapa qu'un courant d'air.

— Merci d'être venu pour m'aider à la retrouver, mais... dit-elle à Gabrielle, encore contusionnée par sa chute, qui prenait appui sur Simon... je crois qu'il faut que je m'en occupe seule désormais.

Kat ne savait pas où était la pierre ni comment la dérober. Elle ne savait pas si elle pouvait surpasser Maggie ni comment. Tout ce qu'elle savait, c'est qu'elle ne voulait plus que les autres souffrent à cause d'elle. Elle en était absolument convaincue, mais Hale s'y opposa :

— Non.

— Quoi ? dit Kat en se retournant vers lui.

— J'ai dit non.

— Qu'est-ce qui va se passer, si tous les trois vous n'allez pas en Uruguay ?

— Au Paraguay, la corrigèrent-ils à l'unisson.

— Toute la famille est supposée se trouver là-bas.

Elle se retourna vers Simon.

— Tu crois que ton père ne va pas remarquer ton absence ?

Puis vers sa cousine.

— Tu penses que ta mère et l'oncle Eddie ne vont pas lancer une recherche pour te retrouver ?

Ils restèrent silencieux tous les trois, incapables de répliquer. Kat sourit à Hale et Gabrielle.

— Vous savez bien, tous les deux, que voler l'Émeraude de Cléopâtre était une erreur, alors ce n'était pas votre faute. Quant à toi Simon, tu n'étais même pas là, par conséquent ça n'est pas ton problème. Aucun de vous n'est responsable de tout cela. Vous devriez tous partir. Vous pourrez me couvrir et…

— Non, s'obstina Hale, imperturbable.

— Tu ne comprends pas, Hale. Ils ne vont pas laisser traîner l'Émeraude de Marc Antoine, même si ce n'est pas la vraie.

— On est très bons pour récupérer ce qui traîne, répliqua-t-il.

— Elle a déjà fixé la vente. Le compte à rebours a démarré.

Hale se rapprocha.

— C'est une question de timing.

— Ouais, dit Kat en le regardant intensément. Absolument, et...

Elle ne trouvait plus les mots, son esprit était en panne tout à coup, et Kat réalisa qu'elle n'arrivait plus à réfléchir, ni à organiser ou imaginer le moindre scénario.

— Et je n'ai pas envie de vous embarquer dans un plan foireux, dans le chaos.

Elle secoua la tête.

— Pas une fois de plus.

Hale haussa les épaules.

— Moi j'aime bien le chaos. Ça me parle !

— Tu devrais t'éloigner de moi. Vous devriez tous partir avant d'attraper un truc pas cool, genre les oreillons, la varicelle ou pire, une combustion spontanée.

Elle observa Hale un long moment, puis secoua la tête.

— Je ne peux pas vous faire faire ça. Je ne peux pas.

— Hé ! la reprit Hale, personne ne peut me *contraindre* à faire quoi que ce soit. Pas ma famille. Pas la tienne... pas même toi.

— Ce n'est pas ce que je voulais dire.

— Si je voulais partir, ce serait déjà fait. Mais je suis là, et j'y reste. Selon ma volonté.

Kat sentit sa main écarter les cheveux sur son visage.

— Alors on fait quoi, Kat ?

C'est un don et un handicap pour les escrocs, cette faculté de regarder une chose d'une douzaine de points de vue différents. Des multitudes d'entourloupes, de grains de sable peuvent enrayer la mécanique, et la seule façon de les éviter, c'est de les envisager tous. Et Kat était le genre de fille qui avait le don de *tout voir*. Mais à ce moment-là, avec Hale tout près d'elle et la lune comme projecteur, elle était complètement dans le brouillard.

— Je réfléchis mieux quand je suis toute seule, Hale. Je fonctionne mieux toute seule.

Hale secoua la tête.

— Tu te trompes.

— Plus personne ne souffrira à cause de moi !

Kat jeta un coup d'œil involontaire vers Gabrielle, qui marchait en boitant.

— Parce que tu crois que m'éloigner de toi m'empêchera de souffrir ? lui demanda sa cousine. Je suis victime de la malédiction, Kitty Kat, et tel que je vois les choses, la seule façon de rompre la malédiction, c'est de redonner cette pierre à son propriétaire. Alors, désolée, mais tu es coincée avec moi !

Kat regarda Simon, qui prit position à côté de Gabrielle.

— Je ne retourne pas chez les moustiques.

Elle se tourna vers Hale, qui ne disait rien. Il prit le téléphone dans sa poche et le tendit à Gabrielle.

— À toi d'appeler.

Kat regarda sa cousine faire le numéro et l'entendit raconter :

— Allô, maman ? Écoute, je crois que je ne vais pas pouvoir venir au Paraguay. Tu vois, j'ai rencontré un mec...

Quelques instants plus tard, elle passa le téléphone a Simon, qui laissa un message à son père à propos d'une conférence au MIT à laquelle il devait absolument assister.

Kat était à court d'arguments. Le job, cependant, ne faisait que commencer, elle se tourna vers Hale et lui demanda :

– Où est l'hôtel ?

– Voyons voir, concernant l'*hôtel*... il se retourna et désigna la jetée, un bateau à moteur, et Marcus, qui se tenait prêt, fit son apparition.

– Qu'est-ce que c'est que ça ? demanda Kat.

– Notre embarcation.

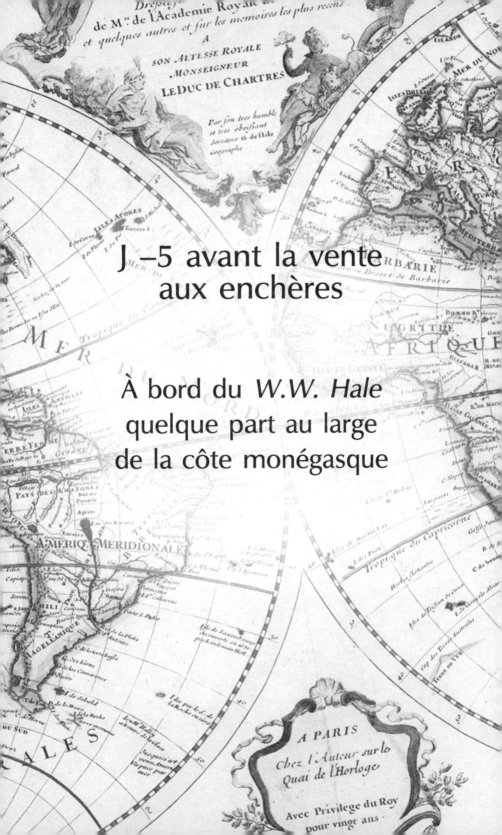

J −5 avant la vente aux enchères

À bord du *W.W. Hale* quelque part au large de la côte monégasque

CHAPITRE 20

Katarina Bishop ne retombait pas toujours sur ses pieds. Elle avait déjà eu beaucoup d'identités différentes, il est vrai, mais elle n'avait pas neuf vies.

C'est avec une grande jubilation que Simon et Hale, assis confortablement sur le pont luxueux du bateau, le regard plongé dans l'eau bleue transparente de la Méditerranée, se moquaient d'elle...

— Comment ça, Kat a peur de l'eau ?

— Elle est phobique.

Hale essayait de prendre un air sérieux mais il n'y arrivait pas. Kat voulut protester, or il aurait fallu pour cela qu'elle ait le courage de monter sur le pont. Il y avait un bastingage, mais s'il se brisait, on était au-dessus de fonds marins très profonds et la côte était très loin à la nage. Elle préférait écouter la conversation depuis l'intérieur du bateau, voilà tout.

Simon se retourna et cria à travers les portes coulissantes

derrière lesquelles Kat était planquée, regrettant amèrement d'être sortie de son lit ce matin-là.

— Tu as vraiment peur de l'eau à ce point ?

— Je n'ai pas peur de l'eau ! hurla Kat. J'ai peur de me noyer, ce n'est pas la même chose !

— Je croyais que tu savais nager, dit Gabrielle en s'étirant sur l'une des chaises longues. Elle tendit une crème solaire à Simon, et se retourna sur le ventre pour lui signifier de lui enduire le dos.

— Bien sûr que je sais nager. Je peux aussi te rappeler un incident particulièrement regrettable, où tu t'es retrouvée avec l'oncle Louis, les frères Bagshaw, au cours d'une croisière en bateau, au large de la côte du Belize...

— Tout va bien, Kitty Kat.

Gabrielle chaussa une paire de lunettes de soleil et le plus grand chapeau que Kat ait jamais vu. Pendant un bref instant, celle-ci se trouva incroyablement chanceuse. Après tout, il y a pire que de se retrouver à la fin du mois de février sur un yacht privé, au milieu de la Méditerranée, avec des amis et de la famille (en particulier, il faut l'admettre, des amis comme Hale). Elle lui lança un coup d'œil. *J'ai embrassé Hale.* Le bateau glissait doucement sur l'eau, et le ventre vide de Kat se souleva. Honnêtement, elle avait le mal de mer.

— S'il y a le moindre problème, Marcus te sauvera. N'est-ce pas, Marcus ? demanda Hale.

— Ce serait un honneur pour moi, mademoiselle, opina Marcus.

— Faisons en sorte que ça n'arrive pas, dit Kat tandis qu'elle essayait de marcher sur le pont pour s'asseoir dans l'une des chaises longues autour de la table. Elle s'agrippa un peu trop fermement aux accoudoirs quand Marcus lui versa une tasse de thé et posa un pain au chocolat sur l'assiette devant elle.

Marcus avait des gestes si raffinés, si calmes et naturels, que Kat ne put s'empêcher de penser – une fois de plus – qu'il aurait fait un extraordinaire voleur. Malheureusement, s'il avait tous les talents pour cela, il n'en avait pas la motivation. C'était une des nombreuses raisons pour lesquelles elle l'adorait.

– Mademoiselle a-t-elle bien dormi ?

– Ouais, demanda à son tour Hale en souriant, est-ce que *Son Altesse* a bien dormi ?

– J'avais demandé une chambre d'hôtel, Hale. Pas un palais, ni même une suite. Juste une petite chambre d'hôtel, sur la terre ferme.

– Désolé, Kat (Hale ouvrit largement les bras), mais je croyais que c'était mieux ainsi.

Kat aperçut derrière lui les yachts blancs qui se balançaient dans le port Hercule et les rochers qui dessinaient la barrière entre Monaco et la France. À sa droite, au loin, se trouvait l'Italie. À sa gauche il y avait Saint-Tropez.

Le *W. W. Hale* étalait son opulence sur soixante-sept mètres, et Kat réalisa qu'elle était assise au milieu de l'infini de la mer et du ciel. Mais elle avait d'autres priorités alors, se tournant vers Simon :

– Que savons-nous ?

– Je crois que tu devrais d'abord t'excuser auprès de mon navire, dit Hale avant que Simon puisse répondre.

– Hale...

– C'est un très beau navire, tu sais. Je l'ai gagné au poker, et il appartenait à un baron du café colombien.

187

– Ton grand-père l'a donné à ton père pour son anniversaire.

Hale haussa les épaules.

– Peu importe. Il faut que tu t'excuses d'abord.

– Hale ! s'écria Kat, mais le garçon ne voulait rien
lâcher

– Bon, ça va, concéda-t-elle. J'adore ton bateau.

– Navire.

– Navire... ton navire est magnifique.

Il sourit d'un air approbateur, tendit la main vers les
viennoiseries, détacha un morceau de pain au chocolat et
l'engloutit.

– Alors que savons-nous ? répéta Kat.

– Selon toi ?

Hale sourit, ramassa un journal sur la table et le par-
courut dans un bruit de pages froissées.

– Je crois qu'ils vont commencer par la faire authen-
tifier, suggéra Kat.

– Bravo, mademoiselle.

Hale avala son verre de jus de fruits d'un trait.

– Pas vrai, Simon ?

Le jeune garçon approuva d'un signe de tête et se recro-
quevilla sous le parasol pour éviter le soleil.

– Ce que je peux vous dire, c'est qu'ils ont un groupe
d'experts qui arrivent en avion, quasiment tous ceux que
Kelly avait engagés à New York. Deux experts en antiquités égyptiennes du musée du Caire, une gemmologue
indienne, et une poignée d'autres.

– Est-ce qu'on peut s'inviter à la fête ? demanda Kat.

Simon haussa les épaules.

– Peut-être. Mais ils sont très... prudents.

— Tu m'étonnes ! s'exclamèrent d'une seule voix Kat et Gabrielle.

— Il y a juste un petit problème, objecta Hale en se dirigeant vers le buffet pour se servir une tasse de café brûlant. Ces fameux experts dont nous parle Simon, vous ne croyez pas que l'un d'entre eux va s'apercevoir que cette fameuse émeraude disparue, connue dans le monde entier, est la *réplique exacte de l'autre*, celle qu'ils viennent tout juste d'examiner ?

Gabrielle souleva ses lunettes de soleil et fit un clin d'œil à Kat, l'air de dire *Il est vraiment trop chou, non ?*

Hale retourna s'asseoir dans sa chaise longue, souffla sur son café, et demanda :

— Quoi ?

— La pierre de Cléopâtre est en sécurité de l'autre côté de l'océan, derrière un réseau de caméras de sécurité hypersophistiquées et une trentaine de centimètres de vitrine pare-balles, leur rappela Simon, mais Hale fixait Kat.

— Quatre-vingt-dix pour cent de l'escroquerie résident dans *l'histoire* qui enrobe le tout, lui dit-elle. Et l'Émeraude de Marc Antoine... (elle ne put s'empêcher de soupirer) est une histoire à laquelle ils ont *envie* de croire.

Kat jeta un coup d'œil sur les journaux et magazines qui jonchaient la table, et constata qu'ils titraient tous sur la découverte de l'Émeraude de Marc Antoine.

— Elle est vraiment trop forte, murmura Kat pour elle-même.

— Mais nous aussi, on est trop forts ! s'exclama Hale.

Kat sentit ses joues reprendre des couleurs et elle se dit que c'était peut-être la chaleur, le soleil. Mais quand Hale se pencha vers elle pour la dévisager, cherchant son regard, elle sut que c'était à cause du baiser. Elle examina les clichés de Maggie et de l'émeraude. Elle remarqua qu'un homme, un peu plus petit que la moyenne, portant un très beau costume, se trouvait à l'arrière-plan de presque toutes les photos.

– C'est lui. Le type de la conférence de presse…

Kat désigna l'homme avec les lunettes et l'accent.

– D'après ce que je peux vous dire, il ne l'a pas quittée depuis qu'elle est arrivée ici. Alors, qu'est-ce que ce M. LaFont sait de notre émeraude ?

Gabrielle se redressa sur son siège. Simon leva les yeux de son écran d'ordinateur. Hale souleva un sourcil et murmura :

– Il y a un bon moyen de le savoir.

CHAPITRE 21

Pierre LaFont n'était pas un inconnu pour le personnel de L'Hôtel royal de Monaco. C'était lui qui avait choisi le lustre qui était accroché au plafond de la suite royale récemment rénovée. Il dînait fréquemment au restaurant de l'hôtel avec des dignitaires en visite ou avec l'héritière occasionnelle qui venait là pour acheter ou pour vendre. Tandis que le voiturier tenait la portière de sa voiture ce dimanche matin-là, il y avait quelque chose de différent dans l'allure de M. LaFont lorsqu'il apparut en plein soleil, un exemplaire du journal du jour sous le bras, sa photo en première page.

— Bonjour, dit-il en touchant son chapeau pour saluer une femme richissime qui attendait le voiturier. Bonjour, dit-il à l'employé qui se trouvait à côté de l'entrée.

— Alors ça, c'est une très belle voiture !

LaFont avait un talent instinctif de professionnel pour évaluer et soupeser les objets et les personnes et, en se retournant pour voir d'où venait cette voix, il s'attendait à découvrir quelqu'un portant un costume fait sur mesure et une montre de luxe. Le jeune homme qui venait de l'aborder avait le sourire détendu et l'élégance qui vont avec la fortune et les privilèges. Il constata qu'il y avait quelque chose chez ce jeune homme qui sortait du commun, véritablement.

— Est-ce un modèle de 1958 ? demanda le jeune homme en sortant de l'ombre pour examiner en connaisseur la vieille Porsche Speedster garée là.

— En effet, répondit Pierre.

— Rien de tel dans les virages ! ajouta le jeune homme.

— Vous connaissez la Speedster de 58 ? s'étonna Pierre, comme un homme qui sait apprécier les gens qui aiment les beaux objets.

— En effet.

Le jeune homme posa une main sur l'épaule de LaFont et de l'autre lui tapota deux fois le torse.

— Mais à votre place j'éviterais de me garer près d'une fontaine. L'eau peut faire des dégâts irréparables sur les sièges en tissu.

— Pardon ? s'étonna Pierre, mais le jeune homme lui fit un petit salut de la main et entra dans l'hôtel.

— Aucune importance, M. LaFont. Aucune importance.

Kat avait toujours pensé qu'une escroquerie qui s'éternise est un non-sens. Dans son métier, tout était éphémère et instantané ; les jobs particuliers se faisaient en un temps record. Même l'escroquerie la plus longue n'était qu'une suite d'instants qui, en eux-mêmes, étaient extrêmement courts se disait-elle en regardant Hale et Pierre LaFont dans le hall du grand hôtel au-dessous d'elle. Une seconde avait suffi à Hale pour faire les poches de l'homme. En un clin d'œil, Hale donna le téléphone de LaFont à Gabrielle, et moins d'une minute plus tard, Simon avait trafiqué la carte SIM du téléphone grâce à son outillage informatique et l'avait rendu à Gabrielle. Kat en était convaincue, les escroqueries ne prenaient pas beaucoup de temps. C'était une durée mesurable en pulsations cardiaques, et si durant le processus le guetteur ne regardait pas du bon côté au bon moment, alors tout pouvait partir en vrille.

Kat le savait, évidemment, mais ça n'avait jamais été aussi évident que lorsqu'elle vit apparaître dans le tourniquet de l'hôtel deux silhouettes élancées et dégingandées qui lui étaient très familières.

Oh, non, se dit-elle, mais il était déjà trop tard.

Hale était déjà avec Pierre LaFont, en train de l'embrouiller. Gabrielle était au milieu du couloir, le téléphone de LaFont dans sa main tendue. Kat dévala les escaliers, sachant dans son cœur qu'il était trop tard bien avant d'entendre la grosse voix appeler :

– Gaby !

L'accent écossais était plus épais que dans le souvenir de Kat, mais c'était une voix inoubliable – même si elle n'était pas certaine de savoir à laquelle des deux silhouettes cette voix appartenait.

Ils marchaient à grands pas. Kat eut l'impression qu'ils avaient grandi de trente centimètres tous les deux depuis qu'elle les avait vus la dernière fois à la table de l'oncle Eddie. Angus restait encore le plus grand, mais de peu.

Les épaules de Hamish étaient devenues plus larges que celles de son frère, et ils éclatèrent d'un rire joyeux en voyant Gabrielle, très concentrée, marcher silencieusement et résolument. Elle était en train de faire passer le téléphone de LaFont dans sa main gauche tout en lorgnant la pochette intérieure du costume impeccablement taillé de l'homme. Complètement immergée dans son opération de pickpocket, elle ne pouvait voir le danger qui se trouvait à moins de trois mètres et se dirigeait vers elle.

— Gabrielle ! s'exclama Kat en allant à sa rencontre. Mais il était déjà trop tard pour empêcher la grosse voix de crier :

— Gaby !

Personne ne pourrait dire si la malédiction opérait encore, ou bien si c'était tout simplement la faute des frères Bagshaw. Tout ce que Kat put constater, c'est que Angus se précipita sur Gabrielle pour l'embrasser, la soulevant et la serrant fort dans ses bras.

Dans son oreillette, Kat entendit LaFont dire : « Merci beaucoup, jeune homme, mais j'ai un rendez-vous urgent avec Maggie. » Elle vit les yeux de Hale s'écarquiller tandis que les longues jambes de Gabrielle furent soulevées du sol par Angus, puis par Hamish. Kat vit aussi le téléphone tomber des mains de Gabrielle et glisser sur le marbre poli. Elle retint son souffle, en le voyant passer à toute vitesse sous les roues du charriot roulant d'un employé. Finalement, le téléphone atterrit sous une nappe qui recouvrait une longue table à trois mètres de l'endroit où se tenaient LaFont et Hale.

— Allons bon, c'est bien Hale que j'aperçois ! se mit à

crier Hamish, mais Gabrielle lui balança un coup de pied dans la tibia pour le faire taire.

Un employé de l'hôtel se tenait à côté de la table où le téléphone avait disparu, Kat se précipita sur lui.

— Oh là là, ces deux types sont en train d'agresser cette jeune fille, non ? cria-t-elle en désignant Hamish qui se frottait le tibia et Angus encore accroché à Gabrielle, qui agitait ses longues jambes dans tous les sens.

— Vous là-bas ! cria l'employé sans plus prêter attention à la jeune femme qui s'était déjà mise à genoux et en profitait pour fouiller sous la nappe.

Où est-il ? Kat avait mal aux genoux. Le sol était froid sous ses mains. Pourtant elle continuait de ramper, de chercher, en priant très fort. *Mais où est-il ?* Elle se rapprochait du téléphone, mais aussi de LaFont et de Hale…

Alors une grosse voix braillarde aboya :

— LaFont, vieille fripouille !

Kat souleva le bord de la nappe et jeta un coup d'œil, elle vit Hale disparaître par la porte d'entrée et Pierre se retourner en disant :

— Bonjour, madame Maggie.

Kat garda son calme. Sa crainte était trop grande, l'affaire trop importante, mais elle se dit qu'au moins la situation ne pouvait pas être pire, jusqu'au moment où les portes de l'ascenseur s'ouvrirent et où le liftier invita LaFont et Maggie à y pénétrer… et où le téléphone se mit à sonner. Kat se jeta dessus, essaya d'en étouffer le son, mais le mal était fait et LaFont était déjà en train de fouiller dans ses poches.

— Vous n'allez pas faire attendre une dame, Pierre ? lui demanda Maggie avec son gros accent du Texas.

– Toutes mes excuses, madame. Je n'arrive pas à retrouver mon téléphone.

À ces mots, Maggie esquissa une légère grimace.

– Vous avez perdu votre téléphone ?

– Eh bien, je... il n'est pas perdu. Je crois que je l'entends…

L'instant d'après, Kat sortait de sous la table, le téléphone à la main ; elle les vit monter dans l'ascenseur, et les secondes passèrent.

Les secondes. C'était toujours une question de secondes.

Quelques secondes, le temps que Kat appelle :

– Bonjour, Maggie.

CHAPITRE 22

Kat aurait dû être terrifiée, mais elle ne l'était pas. Elle aurait dû faire demi-tour et courir, cependant elle n'en fit rien. Elle se contenta de regarder le téléphone s'arrêter de sonner et de traverser tranquillement le couloir.

— Ohé Maggie ! cria-t-elle une fois de plus. Attendez-moi !

Même les voix dans son oreillette étaient muettes. Son équipe demeura silencieuse en la voyant se diriger vers l'ascenseur et y pénétrer comme si elle le prenait tous les jours pour se rendre dans sa suite royale (à proprement parler, ce n'était plus le cas depuis l'été de ses treize ans).

Parfois un voleur doit courir. Parfois il a besoin de se cacher. Lorsqu'elle serra le téléphone silencieux de LaFont dans sa main gauche et monta dans l'ascenseur à côté de Maggie, Kat inspira profondément et se dit que la plus grande qualité d'un voleur est sa faculté d'adaptation. Elle se tourna vers la femme à côté d'elle et la salua :

— Bonjour, Maggie.

Kat sentit le regard de LaFont sur elle, alors elle se tourna vers lui :

— Bonjour. Je m'appelle Kat.

— Kat est… commença Maggie.

— Un membre de la famille, ajouta Kat.

Maggie sourit.

— Exactement.

— Pierre LaFont, se présenta-t-il.

Kat tendit poliment sa main et il y posa un baiser protocolaire.

— Enchanté, mademoiselle.

— Tu as entendu, tante Maggie ? Je suis un *enchantement*, se réjouit Kat.

— Oui mon petit, répliqua Maggie, tandis que l'ascenseur atteignait la suite royale.

— Je le sais depuis…

L'ascenseur s'arrêta brutalement. Maggie se tut. Kat trébucha. Et Pierre LaFont ne sentit pas la petite main qui remettait le téléphone dans la poche intérieure de son très élégant costume sur mesure. L'homme souriait à Kat, inconscient, et il lui désigna les portes ouvertes.

— Après vous.

Kat connaissait les suites d'hôtels. Elle y avait passé beaucoup de temps lorsqu'elle était petite avec son père. Dernièrement, elle avait recommencé à y aller régulièrement avec Hale. En principe elle aurait dû se sentir comme chez elle parmi le beau linge et les vues panoramiques exceptionnelles, mais cette fois, évidemment, elle n'y arrivait pas.

— Pierre, pouvez-vous nous laisser une minute, mon cher ?

Maggie mit son bras autour des épaules de Kat et la serra fortement.

— Je vais essayer de trouver un moyen de remplumer ce petit oiseau maigrichon.

Elle resserra son étreinte. Kat sourit plus largement.

Ensuite Maggie poussa Kat dans un petit bureau et referma les portes coulissantes. Il y avait une clé à l'ancienne dans la serrure, et Maggie la tourna. Dans le silence de la pièce lambrissée, le bruit eut quelque chose de sinistre.

— Eh bien, on dirait que c'est Katarina Bishop...

Le ton de la voix avait changé, instantanément. L'accent rocailleux du Texas avait été remplacé par un accent très britannique, mais ce n'était pas non plus la voix que Kat avait entendue au restaurant. Kat se trouvait pour la quatrième fois en présence de cette femme, mais maintenant Maggie avait l'air plus jeune qu'à New York. Elle était plus hautaine que dans le couloir de l'hôtel. Appuyée contre la grande double-porte, Kat n'eut pas le moindre doute, elle se trouvait face à la femme qui était derrière toute l'affaire.

— Bonjour *Maggie*, répéta Kat, à moins que je ne doive vous appeler *Constance* ?

La femme sourit.

— Appelle-moi Maggie.

Cette dernière se dirigea vers le bar et remplit un verre qu'elle offrit à Kat, mais elle se ravisa, en s'excusant avec un sourire condescendant :

— Oups, j'allais oublier, tu es mineure.

– C'est pour ça que vous m'avez choisie ?

– Tu veux dire que tu étais une proie facile ?

Kat aurait aimé lui prouver qu'elle avait tort, mais c'était inutile.

– L'âge n'a rien à voir là-dedans, Katarina. Édouard te l'a certainement appris ?

– À la mention de l'oncle Eddie, Kat sentit son pouls s'accélérer et son estomac se retourner. Et Maggie dut s'en apercevoir, car elle sourit.

– Alors, dis-moi, où est Édouard en ce moment ?

Kat réfléchit.

– Au Paraguay. Ou en Uruguay...

Maggie éclata de rire et se servit un verre.

– Je les confonds.

– Moi aussi, avoua Kat.

Elle regarda autour d'elle.

– À propos de famille, où est votre *petit-fils* ?

– Qui ? demanda Maggie.

Puis elle se rappela tout à coup le personnage qu'elle avait joué quelques jours auparavant.

– Oh, lui... il n'était qu'un assistant, mon petit. Un pion utile sur le moment, mais qui n'est pas du tout de *notre* niveau.

Elle leva son verre en direction de Kat, pour porter un toast.

– Tu es une fille très douée, Katarina. Quelqu'un te l'a déjà dit ?

Kat était certaine que son père ou l'oncle Eddie avait dû lui dire la même chose à un moment ou à un autre, mais elle ne se rappelait plus où ni quand.

Maggie l'observa.

– Quel âge avais-tu pour ton premier job ?

– Trois ans, répondit Kat.

Maggie s'installa confortablement dans un fauteuil en cuir.

– Moi, j'avais neuf ans. C'était au comptoir de la bijouterie chez Harrods, la veille de Noël.

Elle toucha les diamants qui ornaient ses oreilles.

– Tu vois, je les porte encore !

– Ils sont splendides, dit Kat.

La femme sourit.

– Merci. Elle s'enfonça plus profondément dans le fauteuil.

– Il n'y a pas assez de filles dans le *Club des anciens voleurs*, selon moi.

Elle buvait lentement, en jouant avec le bord de son verre en cristal.

– Encore moins de vieilles voleuses.

Kat n'avait jamais connu sa grand-mère. Sa mère lui avait été enlevée beaucoup trop tôt, et pourtant il ne lui était jamais venu à l'esprit, jusqu'à présent, qu'il y avait quelque chose – quelqu'un – qui manquait à la table de la cuisine de l'oncle Eddie. Mais en regardant Maggie toucher les pierres précieuses ornant ses oreilles, Kat sut que c'était terminé. Il n'y avait pas d'angle d'attaque, pas d'affaire, ni de mensonge possible – seule une femme qui aurait pu être là, mais n'y était pas. Et cette absence était comme un trou béant à l'intérieur de la poitrine de Kat. Elle avait besoin de savoir :

– Comment le connaissez-vous ? Pourquoi est-ce que je ne vous ai jamais rencontrée avant ? Pourquoi ne faites-vous pas...

– Partie de la famille ? proposa Maggie.

Kat hocha la tête, incapable de parler.

– C'est une très longue histoire, ma chérie, que je ne vais pas te raconter, ajouta Maggie simplement. D'ailleurs je suis bien plus efficace toute seule, je suis certaine que tu me comprends.

– En effet.

– J'ai entendu parler de Moscou, au fait. C'était…

– Risqué, je sais… s'agaça Kat, n'ayant aucune envie d'entendre une autre remontrance.

Mais Maggie secoua la tête. Ses yeux étincelaient.

– Je m'y serais prise exactement de la même manière.

Quand Maggie leva les sourcils, elle avait l'air plus jeune que jamais ; l'âge n'est qu'un chiffre, après tout. La jeunesse est quelque chose de différent, et Kat en avait la preuve devant ses yeux – au beau milieu du job, Maggie remontait le temps, et Kat l'envia. Elle repensa aux paroles de Gabrielle et se demanda si elle n'avait pas en face d'elle la version féminine de l'oncle Eddie. À moins qu'elle ne soit en train de contempler la voleuse qu'elle deviendrait peut-être un jour.

– Personnellement, j'adore Cézanne, ajouta Maggie en levant son verre à nouveau. Alors moi, bien entendu, je ne l'aurais jamais redonné à personne.

Le charme s'était rompu d'un seul coup. Le souvenir des événements des derniers jours balaya ce moment de grâce, et quand Kat prit à nouveau la parole, elle ne put cacher sa déception.

– Vous avez changé les règles du jeu, Maggie.

– Il n'y a pas d'honneur chez les voleurs, Katarina. Peu importe ce que tu as pu lire dans les livres d'histoires.

Son sourire était terriblement mauvais.

— Une bonne partie du plaisir, c'est d'être plus fort que nos collègues.

— Vous avez dit que Romani vous avait envoyée.

Maggie balaya la question.

— J'ai joué mon atout.

— Vous avez utilisé un *pseudonyme chlovèque* pour votre profit personnel !

Maggie pointa un doigt vers Kat, comme si elle venait de comprendre quelque chose.

— Moi aussi j'ai été jeune, comme toi ; tellement fière, tellement passionnée. Quand j'ai entendu parler du musée Henley... j'étais impressionnée. C'était du très beau travail, Katarina.

Si elle s'attendait que Kat apprécie le compliment, elle se trompait.

— Et puis j'ai entendu parler d'autres affaires... et j'ai compris que tu étais devenue respectable, tu avais changé de camp... Tu es vraiment charmante quand tu es en colère. Cela va bien avec tes yeux, tu peux le dire à ton oncle.

— L'oncle Eddie n'a rien à voir avec ça.

Maggie se mit à rire.

— Si ce n'est pas Eddie qui t'envoie, qui d'autre ?

— Visily Romani.

Maggie rit encore plus fort.

— Et moi, je viens de la part du Père Noël !

— Nous allons *la* reprendre, vous le savez ?

Maggie hocha la tête lentement. Sa voix devint tout à coup beaucoup plus dure quand elle ajouta :

— Vous allez essayer.

Les doubles-rideaux lourds, épais, empêchaient le soleil de pénétrer dans la pièce. L'atmosphère était calme, presque paisible, et Kat crut entendre son propre cœur battre lorsque Maggie lui dit :

— Je suis très fière de toi, il faut un sacré culot pour venir ici, Katarina. J'aurais trouvé ça insultant que tu continues à rôder dans l'ombre, comme si je ne te voyais pas, comme si je n'entendais pas !

— Tant mieux si je ne vous ai pas offensée...

— Dis-moi, qu'est-ce que je peux faire pour toi, mon petit ? Je te donne dix pour cent ?

Kat n'essaya même pas de faire le calcul, elle n'osa pas.

— Très gentil de votre part, mais je crois que je vais tout garder.

Maggie renversa la tête en arrière et éclata de rire.

— Alors tu vas essayer de faire quoi... ? La roue ? tenta-t-elle de deviner.

— Bien sûr que non, dit Kat, tout le monde sait que le gouvernement français a interdit l'importation de paons en 1987.

— Exact, répondit la femme en fronçant les sourcils comme si cela lui causait de la peine. Le coup du pont de Londres ? Un Jack et Jill, peut-être ? tenta-t-elle.

— Eh bien, c'est vrai que c'est un des préférés de Hale.

— Il ferait une excellente Jill.

— Je n'en doute pas.

Kat était presque étourdie de voir ainsi toutes ses possibilités s'effondrer comme le verre d'une vitre brisée. Et elle avait peur de s'y couper.

— Allons, quel est ton plan, Katarina ?

Maggie se servit un autre verre et le sirota à petites gorgées.

— Quel est le plan magistral de la supervoleuse qui a braqué le Henley ?

Kat pria pour que son silence soit interprété comme un signe de force et non d'impuissance, de sagesse et non de folie. Et surtout, elle aurait aimé avoir des réponses à toutes ses questions. Ce qui n'était pas le cas. Alors elle dit simplement :

— Vous n'auriez pas dû courir après cette émeraude, encore moins vous servir de moi. Mais votre plus grosse erreur a été d'utiliser le nom de Romani. Quand tout cela sera terminé, vous verrez que c'est là que vous vous êtes plantée.

— Tu es vraiment très forte, Katarina. Je t'assure. Un peu trop téméraire, je dirais, et particulièrement crédule. Dommage que ta famille n'ait pas réussi à t'apprendre ce que j'aurais pu t'enseigner.

— Vous oubliez une chose, Maggie, c'est que si nous ne réussissons pas à vous reprendre l'Émeraude de Cléopâtre, vous allez avoir du mal à la revendre, parce que je vais appeler New York et suggérer à la société Kelly de faire quelques tests sur la pierre qu'ils ont dans leurs vitrines blindées.

— Tu ne ferais pas une chose pareille, Katarina.

— Oh, je vais me gêner !

Kat ne souriait pas parce qu'elle jubilait. Elle souriait comme quelqu'un qui a fait la paix avec ses erreurs, et qui est prêt à en assumer les conséquences. Maggie s'approcha d'elle, un téléphone à la main.

– J'adore les nouvelles technologies, dit-elle en regardant son appareil. Certes, elles ont beaucoup complexifié certains éléments de notre profession, cependant...

Elle appuya sur un bouton, et le petit écran afficha instantanément une photo, petite mais parfaitement nette. On voyait Marcus et Hale à la sortie de la société Kelly. Puis l'image changeait, et Kat vit Hale et Gabrielle se diriger vers le siège social, *en pleine action*.

Il y avait au moins une demi-douzaine de photos, mais la dernière causa un choc à Kat.

Un petit parc tranquille. Maggie pointa l'écran d'un doigt chargé de bijoux et dit :

– C'est moi, et là c'est toi.

De l'ongle elle pointa une enveloppe au centre de l'écran, qui passait de l'une à l'autre.

– Et ça, c'est toi quand tu me donnes l'Émeraude de Cléopâtre.

Maggie se dirigea vers la porte et tourna la clé, puis elle jeta un coup d'œil à la fille près de la fenêtre.

– Réfléchis à ce que je t'ai dit, Katarina. Je serais ravie de t'apprendre tout ce que je sais.

CHAPITRE 23

La marée était basse au large de la côte monégasque ce vendredi soir, lorsque le *W. W. Hale* se détacha de la longue file des yachts qui faisaient partie intégrante du littoral. Un fin croissant de lune se levait au loin, en direction de l'Italie. Apparemment tout était au plus bas ce soir-là.

Kat, debout dans le couloir qui menait à la cuisine du bateau, déclara :

– C'est fini.

La grosse porte du réfrigérateur américain claqua et Hale se tourna vers elle, avec un air de fureur mêlé de soulagement. Gabrielle avait une nouvelle égratignure sur le côté du visage et un pack de glace sur le genou. Les Bagshaw se tenaient derrière Simon, qui était encore occupé à trier les documents d'Interpol, une photo après l'autre, et une affaire à la fois.

Kat sourit malgré elle en les voyant.

– Alors... toute l'équipe est réunie.

– Salut, Kitty, dit Angus.

– Désolé d'avoir tout fait foirer, Kat, lui murmura Hamish.

Il était vraiment devenu un colosse. Elle se demanda pendant une seconde ce qu'il avait bien pu manger pour grandir aussi vite.

– Si l'on avait su que vous étiez en train de monter un coup, on se serait planqués peinards en attendant et…

– C'est bon, les gars, vraiment.

Kat grimpa péniblement sur un des tabourets alignés contre le bar de granit.

– C'est terminé, on n'en parle plus, j'imagine qu'ils vous ont déjà tout raconté ?

Les Bagshaw n'étaient pas du genre à faire preuve de réflexion et Kat doutait qu'ils s'y mettent.

– Bien sûr, Kitty !

Hamish passa son bras autour d'elle. Angus se joignit à lui, et faillit l'étouffer en lui disant :

– Il paraît que tu étais à Édimbourg en janvier, mais tu ne nous as pas appelés !

– Tu nous as pas écrit, ajouta son frère.

– Vous vexez pas les gars, c'est comme d'hab, dit Hale depuis la kitchenette. Elle n'appelle plus personne, de toute façon.

Une des qualités principales du voleur professionnel, c'est de percevoir ce qui n'est pas visible – un capteur ou un faisceau laser, le mensonge auquel un garde a vraiment envie de croire. Kat comprit ce que voulait dire Hale, elle l'avait déjà entendu dans l'escalier roulant et à l'arrière de la limousine, sur le perron de la maison en pierres brunes, et maintenant, à l'autre bout de la planète.

— Ne sois pas fâché, Hale.

— Tu n'as pas respecté notre scénario aujourd'hui, dit-il.

— On était coincés.

— Et tu as pris l'ascenseur avec cette femme. Toute seule.

— Je suis une grande fille, Hale, dit Kat. Par ailleurs, elle ne va pas me faire de mal.

— On n'en sait rien, rétorqua Hale. On ne sait rien d'elle.

— Moi si ! éclata Kat de rire. On la connaît. Je l'ai toujours connue, toute ma vie, ajouta-t-elle avant qu'il lui coupe la parole, je l'ai *rencontrée* il y a seulement deux semaines, mais je la connais.

Kat l'imagina, âgée de neuf ans, en train de voler des diamants chez Harrods.

— Je la connais très, très bien.

Angus regarda Hamish.

— Ça me gonfle quand papa et maman se bagarrent.

Hamish arrangea les cheveux hirsutes de son frère.

— Moi aussi.

Marcus entra dans la pièce. Il ne portait plus sa veste noire de ministre en période de crise, et les manches de sa chemise blanche étaient roulées au-dessus des coudes. Mais ce manque de protocole était compensé par la dignité avec laquelle il se dirigea vers la grande cuisinière, admirablement engoncé dans son tablier de chef cuisinier, pour soulever le couvercle d'une énorme cocotte en fonte. Une vapeur pleine d'arômes envahit l'atmosphère et Kat se retrouva dans la cuisine de son oncle, les mains sur la table en bois.

L'enfant qui n'avait jamais eu de domicile fixe se sentit très mal tout à coup ; la petite voleuse qui avait réussi le casse mémorable du Henley avait subitement besoin d'aide. Et la fille qui avait fugué loin du business familial réalisa tout à coup que, quoi qu'elle fasse, elle ne pourrait jamais quitter la fameuse cuisine.

— Alors... quelqu'un a volé le bijou de Cléopâtre, dit Hamish comme s'il ne supportait pas le silence, une minute de plus.

Son frère siffla lentement et se dandina.

— On aurait bien aimé être là !

Gabrielle remit en place son sachet de glace.

— Non, valait mieux pas.

— Angus, Hamish, dit Kat en se tournant vers les frères, son vrai accent est britannique. La connaissez-vous ?

Les deux se regardèrent, pour savoir qui allait parler.

— Non, répondit Amish.

— Est-ce que ça sent mauvais à ce point-là ? lui demanda Hale.

— Très mauvais, dit Kat.

Elle fixa le comptoir de granit, en essayant de trouver un dessin intéressant parmi les contrastes de blanc et de noir, mais c'était débile.

— C'est foutu, elle vous connaît tous les deux.

Elle fit un geste en direction de Hale et Gabrielle.

— Elle ne me connaît pas, dit Simon.

Kat ricana.

— Je pense qu'il vaudrait mieux présumer qu'elle nous connaît tous. C'est un peu comme...

Elle secoua la tête pour essayer de se concentrer.

– L'oncle Eddie, termina Gabrielle pour elle. Ce serait comme vouloir embrouiller Eddie ?

– Ouais, confirma Kat. Elle sait... tout.

– C'est-à-dire ? questionna Gabrielle.

– Eh bien qui nous sommes, ce que nous faisons ici, tous les plans possibles et imaginables qu'on pourrait échafauder pour récupérer l'Émeraude de Cléopâtre...

– Et alors ? demanda Hale.

– Alors elle est meilleure que moi !

Dans un sens, Kat espérait qu'au moins un des membres de son équipe s'exclamerait : *Bien sûr que non !* Une autre partie d'elle aimait à penser que quelqu'un dirait : *Ne sois pas ridicule.* Mais personne ne contesta son point de vue. Personne ne parla de l'affaire Henley.

– On ne peut pas le faire, admit Kat à regret. On ne peut pas... réussir.

Hamish sourit et se frotta les mains.

– Bien sûr que si.

Il se pencha au-dessus du comptoir et regarda Gabrielle dans les yeux.

– Qu'est-ce que tu suggères ? Le coup du friand à la saucisse ?

– Le seul moyen pour que j'aille sous une couverture avec toi serait que nous brûlions, répondit-elle.

– Vous n'y êtes pas du tout, rétorqua Kat. On ne peut pas l'embrouiller. Point barre. Elle *connaît* tous les trucs. Elle en a probablement inventé la moitié.

– Alors essayons d'en trouver des nouveaux, proposa Gabrielle en se levant.

– Elle nous connaît.

Kat regarda Hale.

– Prenons quelqu'un d'autre, répliqua Hale.

– Elle connaît l'oncle Eddie. Je vous parie tout ce que vous voulez qu'elle connaît tous les gens que nous connaissons.

Hale se rapprocha.

– Alors, trouvons quelqu'un qu'elle ne connaît pas.

Le bateau s'éloignait de la côte à grande vitesse, et pourtant c'était comme si le monde entier avait les yeux braqués sur eux. Tout le monde était entassé dans la cuisine. Kat avait le mal de mer, et elle regardait fixement Hale, comme si c'était un point à l'horizon sur lequel il fallait se concentrer pour ne plus sentir le bateau tanguer.

– Nous allons trouver quelqu'un qu'elle ne connaît pas, répéta Hale.

Au moment précis où Kat se jurait que pour rien au monde elle ne détournerait le regard, elle entendit des bruit de pas, puis vit une ombre dans l'embrasure de la porte qui demanda :

– Tu veux dire quelqu'un comme moi ?

CHAPITRE 24

La première fois que Kat avait vu le garçon qui se tenait devant eux, ils étaient tous les deux à Paris, au coin d'une rue. Leur première conversation avait porté sur les pickpockets en général, et sur le talent inné de voleur en particulier, qu'elle pressentait chez ce garçon qui, visiblement, n'avait aucun respect pour les lois et la vérité.

Mais ce n'était pas ce moment qui occupait l'esprit de Kat, tandis que tout le monde était scotché par cette soudaine apparition, attendant de voir si d'autres surprises étaient dissimulées derrière cette porte.

— Quoi ? dit Nick devant la tête sidérée des adolescents. Vous ne me reconnaissez plus, depuis que vous m'avez largué dans une galerie complètement encerclée par la police ?

— Oh, c'est bon, Nicholas, dit Gabrielle, en examinant ses ongles. On savait que le service de sécurité du musée te trouverait bien avant les flics.

— Toujours aussi aimable, Gabrielle ! lui lança Nick.

Puis il se tourna vers Simon et les frères Bagshaw.

– Les mecs... désolé de débarquer ainsi.

– Techniquement, on appelle cela « embarquer clandestinement », ironisa Hale.

– Tu dois avoir raison, répondit Nick en claquant des doigts.

Hale l'examina du haut en bas.

– Mais tu n'as pas de combinaison de plongée !

– Je ne voulais pas arriver mal coiffé, répondit Nick avec un sourire sarcastique.

Kat restait assise sans dire un mot.

– Les garçons, les garçons, dit Gabrielle, penchée sur le comptoir comme une chanteuse de jazz des années 1930, soyez gentils !

– Je suis gentil, dit Hale d'un ton glacé. J'étais sur le point de demander à notre vieil ami Nick comment était Paris ces derniers temps.

– Lyon, rectifia Nick. Ma mère travaille au quartier général d'Interpol, maintenant.

Il jeta un coup d'œil oblique en direction de Kat.

– Vous n'étiez pas au courant ?

Il était complètement naturel en disant cela, et c'est là que Kat comprit deux choses très importantes : la première était que Nick garderait leur secret. La seconde était que Nick... était doué. Elle ne savait plus où elle en était en fait, alors elle se contenta de demander :

– Depuis combien de temps es-tu ici ?

– Assez longtemps.

– Et tu es là *pour quoi* au juste ? demanda Kat. La dernière fois que tu nous as proposé tes services, si je me souviens bien, tu projetais secrètement de nous faire coffrer en flagrant délit par Interpol. À moins que tu n'aies quitté le business familial ?

Kat vit son reflet dans les vitres. Il n'y avait rien d'autre derrière le verre qu'une immensité vide et sombre.

— J'ai peut-être changé de bord, répondit Nick en passant la main le long du comptoir en granit. J'ai peut-être fait tout ce chemin pour vous aider à voler l'Émeraude de Marc Antoine.

— Ce n'est pas celle de Marc Antoine, rectifia Hale.

— Interpol a envoyé une équipe d'experts pour authentification, leur révéla Nick. C'est vrai, Kat.

— Oh, c'est une véritable émeraude, dit Gabrielle, et elle sourit d'un air suffisant. Mais ce n'est pas celle de Marc Antoine.

— Non, dit Nick, c'est impossible. La seule autre émeraude de cette taille est...

— Eh oui. C'est la Cléopâtre, lui confirma Gabrielle.

— Comment le savez-vous ? demanda Nick.

— On le sait, dit lentement Kat, parce que c'est nous qui l'avons volée...

Étendue sur le grand lit qu'elle partageait avec Gabrielle, Kat regardait le lustre au-dessus de sa tête qui se balançait comme un pendule au rythme des vagues. Elle se retournait sans pouvoir dormir en maudissant la mer, elle n'arrivait pas à trouver le sommeil à cause des ronflements de Gabrielle. Lorsque celle-ci se mit à balancer des coups de pieds en rêvant, Kat se dit que ce n'était plus la peine de lutter. Que Gabrielle soit atteinte ou non par la malédiction, il valait mieux sortir du lit et s'éclipser discrètement.

Le téléphone était exactement à l'endroit où elle l'avait laissé. Elle connaissait le numéro par cœur. En marchant sur le pont, elle réalisa qu'il était encore tôt au Paraguay – à moins que ce soit en Uruguay ? Cela n'avait pas d'importance. Une seule chose comptait, et c'était de pouvoir dire :

– Bonjour, papa.

– Qu'est-ce qui ne va pas ? demanda-t-il, et Kat se mit à rire.

– Rien. Je voulais juste…

– Kat, qu'est-ce qui ne va pas ?

– Tu m'as manqué. Est-ce que c'est interdit ?

– Non, tu le sais bien. En fait, j'aime bien que ma petite fille s'ennuie de moi.

Kat s'appuya sur le bastingage en soupirant :

– Tu me manques, papa.

– Tu l'as déjà dit, ironisa la voix qui lui parlait depuis l'autre côté de la planète.

– Ouais, mais cette fois c'est vrai.

– Alors comme ça, il paraît que ta cousine t'a convaincue de travailler avec elle ; il s'agit d'un comte, à ce que l'on m'a dit ?

– Un duc, rectifia Kat. On va…

– Qu'est-ce que vous allez faire vraiment ?

– La tournée des caves du côté de Zurich, à la recherche d'un Degas qui a disparu depuis soixante ans.

Elle pouvait presque imaginer le sourire sur le visage de son père quand il dit :

– C'est bien *ma fille*, ça !

Il faisait trop froid sur le pont, et Kat aurait aimé avoir un manteau ou se trouver au soleil. Elle imagina son père bronzé, fatigué et heureux. Elle pensa à Maggie, et pendant une seconde elle se dit que ça valait peut-être la peine de demander pardon et de tendre la main pour avoir de l'aide, mais elle ne pouvait pas s'y résoudre ; elle ressemblait trop à son oncle en ce qui concernait l'orgueil, et pas assez à son père pour le charme.

Kat se contentait... Kat se contentait de courir après le passé, pour le meilleur ou pour le pire, mais toute seule, comme une grande.

Après avoir dit au revoir à son père, Kat resta dehors pendant un long moment, à regarder dans l'eau.

– Ne tombe pas !

Kat sursauta en entendant la voix de Hale, et se retourna pour le dévisager lentement.

– Je t'en prie, ne dis pas ça. Avec la veine que nous avons en ce moment, il y a toutes les chances que l'un d'entre nous passe par-dessus bord avant la fin de cette affaire.

Elle sentit qu'il arrivait derrière elle, et prenait place à son côté.

– Qu'est-ce que tu fais ici au milieu de la nuit ?

– Je réfléchis.

– Vois-tu, dit Hale en pointant le dessus de sa tête, il est là, ton problème.

Il faisait nuit noire, et les lumières de Saint-Tropez et de Nice ressemblaient à des petits diamants au loin, et Kat eut l'impression qu'ils étaient tous deux plus proches de la lune que n'importe quelle autre créature vivante sur terre.

– Tu n'as pas entendu ce qu'elle me disait aujourd'hui, Hale. Elle est trop... top.

– Tu l'as déjà dit.

– Elle a tout vu. Elle a tout fait. Hé (elle le pointa du doigt), on pourrait peut-être essayer le coup de la Grande Catherine ? Tu sais, l'oncle Félix s'est fait employer comme conservateur au musée du Caire pendant un an, et…

– Pendant un court instant, j'ai cru que tu avais laissé tomber tout ça, murmura-t-il.

– Je sais, mais j'ai pensé que si nous…

– Kat...

– Oui ?

– Arrête de penser.

On n'avait jamais rien demandé d'aussi difficile à Kat depuis qu'elle était née. Mais elle essaya, elle fit un gros effort. Pour oublier le clapotis des vagues couleur d'encre sur la coque blanche du bateau *W. W. Hale.* Pour ignorer le compte à rebours, et surtout la petite voix dans sa tête qui disait, *je t'ai embrassé.*

Je t'ai embrassé.

Je t'ai embrassé.

Et tu es parti.

– Tu es mon seul ami, Hale. Est-ce que tu le sais ?

– Arrête de mentir…

Kat secoua la tête.

– Si je mentais, ça sonnerait beaucoup plus juste.

Elle vit Hale inspirer profondément et s'approcher d'elle, mais elle continua.

– Dans ma famille, nous prenons nos jobs très au sérieux tu sais ? C'est un peu notre héritage. Pour les autres

218

ce seraient les perles de la grand-mère, ou le service en porcelaine de Limoges. Chez nous, la tradition se transmet depuis des années, des siècles. Quelqu'un a formé l'oncle Eddie, l'oncle Eddie a tout appris à ma mère, ma mère a tout appris à mon père, et mon père...

— Te l'a transmis.

— Ouais, confirma Kat tandis que Hale s'approchait encore.

— Et tu m'as tout appris.

Kat se mit à rire et regarda l'eau noire.

— Désolée.

— Moi je ne le regrette pas, répliqua Hale sans sourire.

Debout dans la lumière du clair de lune, Kat le vit se retourner vers elle.

— Il faut bien un début à tout, Kat. N'oublie jamais cela. Quelqu'un, quelque part, a démarré le processus.

Il haussa les épaules.

— Alors nous allons faire la même chose. Qui sait ? Peut-être que dans cent ans, deux gamins un peu dingues évoqueront la légende de Kat.

— Tu crois vraiment ?

Il éclata de rire.

— Il y a des chances.

La nuit, sur le bateau, sans la chaleur du soleil, l'air était très froid.

— Est-ce que tu crois que la pierre est vraie ? demanda-t-il.

— Je sais qu'elle est vraie. Je te rappelle que c'est moi qui l'ai fait sortir par le conduit d'aération.

Kat frissonna, et Hale posa ses bras de chaque côté de

sa taille sur la rambarde et s'appuya contre elle pour la réchauffer.

– Je ne te parle pas de la pierre de Cléopâtre, mais de celle de Marc Antoine. D'après toi, où se trouve-t-elle ?

– Tu crois vraiment qu'il y a deux mille ans, il a pu exister une émeraude assez grosse pour être coupée en deux et fournir deux pierres de cette taille ?

– Crois-tu vraiment qu'il ait pu exister un amour assez fort pour déclencher une malédiction contre ceux qui se mettaient en travers de leur passion ?

– C'est juste une histoire, Hale.

– Oui, mais c'est une *bonne* histoire. Tu ne trouves pas ?

Il s'appuya plus fort contre elle, comme pour l'obliger à donner une réponse.

– Je ne sais pas. Je trouve ça un peu stupide.

– Stupide ? Ce n'est pas le qualificatif qu'on emploie généralement à propos de ce couple de l'Empire romain, Mais peu importe.

– Enfin, c'était Cléopâtre, quand même.... Marc Antoine et elle auraient dû être plus malins que ça, non ? Ils étaient si différents....

– La diversité est le sel de la vie.

– Et puis, ils étaient à des milliers de kilomètres l'un de l'autre.

– L'absence attise le feu de la passion.

– Et le condamne.

Elle le suspecta de penser à tout autre chose qu'à Cléopâtre, quand il relâcha son étreinte et demanda :

– N'est-ce pas plutôt qu'elle l'effraie ?

Kat sentit son cœur battre plus vite, l'adrénaline courait dans ses veines, elle savait qu'il avait raison. Elle l'observa pendant un long moment.

— Tu crois aux malédictions, Hale ?

Il la regarda.

— Moi, je crois en toi.

J −4 avant la vente
aux enchères

À bord du *W. W. Hale*
quelque part au large
de la côte monégasque

CHAPITRE 25

C'était peut-être à cause du vent vif et du soleil radieux qui les accueillirent sur le pont le lendemain matin très tôt – mais Kat préféra penser que c'était dû à l'excellent café de Marcus. En tout cas, à 7 heures du matin, la petite troupe était particulièrement... en forme

Nick était assis à côté de Simon, déjà devant son ordinateur. Marcus s'occupait du petit déjeuner. Hale lisait le journal du matin, les pieds sur la table.

Et quelqu'un avait donné une arme à feu aux frères Bagshaw.

– Pull ! cria Hamish, et Angus tira sur un câble et envoya un pigeon d'argile au-dessus des eaux bleues et profondes.

Une fraction de seconde plus tard, un bruit déchira le silence qui régnait sur le pont. Kat sursauta. Hale soupira, Marcus demeura impassible.

Kat s'assit en face de Simon.

– Bonjour ! lui dit-elle en jetant un coup d'œil sur l'écran, mais Simon ne répondit pas.

– Simon... dit-elle à nouveau, mais Hale lui fit signe de se taire d'un léger mouvement de tête.

– Il gamberge, lui souffla-t-il.

Kat attendit.

Elle ne sirota pas son café. Même pas un morceau des délicieux croissants. Elle se contenta d'observer les yeux de Simon.

– Ouais ! cria-t-il en lançant son poing en l'air tandis que, derrière lui, Angus prenait le pistolet et criait :

– Pull !

– Simon...

Kat se pencha sur la table, et Simon réalisa enfin qu'il n'était pas tout seul.

– Hé ! salut, Kat.

Kat éclata de rire.

– Salut. Alors, quoi de neuf ?

Elle regarda l'écran de l'ordinateur et le sourire béat de Simon.

– Eh bien... tu sais... on a mis un virus dans le téléphone portable de LaFont hier ?

– Celui à cause duquel Kat a fichu en l'air notre couverture ? demanda Gabrielle en se dirigeant vers l'une des chaises longues qui se trouvaient sur le pont

– Oui, celui-là, admit Kat.

– PULL !

PAN !

Le bruit résonna un certain temps, et les frères continuèrent leurs expériences imperturbablement.

– Raconte, Simon ! l'implora Hale, le regard dissimulé par des lunettes noires.

Il sembla à Kat qu'il ne quittait pas des yeux l'endroit où Nick était assis, de l'autre côté de la table.

– Oui, c'est simple, voyez-vous, les nouveaux téléphones ressemblent davantage à des petits ordinateurs et...

– Simon, abrège, mon vieux ! s'impatienta Hale.

– Non seulement on a trafiqué son téléphone, mais depuis ce matin, le téléphone et l'ordinateur de LaFont sont reliés.

– Donc on... souffla Kat.

– On a tout.

Simon tourna son écran pour que tout le monde puisse voir.

– Aujourd'hui à 15 heures, séance photo au palais princier, lut-il sur l'écran.

– À 16 h 45, Maggie rencontre les agences de presse. À 19 heures, rendez-vous de courtoisie avec le joaillier de la famille royale... Demain matin à 9 heures, brunch VIP avec trois P-DG, l'ambassadeur de Russie et une délégation égyptienne. Oh ! et la princesse Anne d'Astovia, il paraît que sa chirurgie esthétique est très réussie.

Nick émit un petit sifflement admiratif et se rassit tranquillement dans sa chaise longue.

– Cette émeraude brasse beaucoup d'air, on dirait.

– Mais le clou du spectacle aura lieu jeudi soir, avec un grand bal ou gala, enfin un truc du genre, ajouta Simon, et Gabrielle commença à s'énerver parce qu'un bal ou un gala, ce n'était pas un truc anodin, c'était important.

– L'émeraude sera donc sur place pour que tous les acquéreurs potentiels puissent la voir de près. Et vendredi matin se tiendra la vente officielle.

– Tu as les emplacements ?, demanda Kat à Simon.

– Oh, oui. On a tout, absolument tout.

– Le plan de sécurité ?

– Si LaFont le connaît, alors nous le connaîtrons aussi.

C'était comme si tout à coup la malédiction s'était dissipée, comme si la marée avait changé, mais la brise se leva et le tir au pigeon des frangins prit une tournure regrettable. Quelques secondes plus tard, Angus ratait la cible et faisait un énorme trou dans les placards de la cuisine, moins de trois mètres au-dessus de la tête de Marcus.

– Donne-moi ça !

Gabrielle lui sauta dessus et lui arracha le pistolet des mains.

– Excellent plan ! ironisa Nick à l'intention de Gabrielle.

– Bon, Nick, annonça Hale, je suis sûr que quelqu'un va pouvoir te ramener à terre maintenant. Merci pour ta petite visite, et…

– Hale, l'interrompit Kat, on a besoin de lui.

– Pour faire quoi exactement ? l'interrogea Gabrielle.

– Maggie… murmura Kat, quelqu'un doit surveiller Maggie.

Elle se leva et se dirigea vers le bastingage. La côte ne semblait pas si lointaine, mais la brume estompait les détails du paysage.

Elle se concentra sur les vagues pour réfléchir aux choses dont elle était certaine.

– Nous devons savoir où elle va, avec qui elle parle, ce

qu'elle achète. Si elle téléphone, je veux savoir à qui et pendant combien de temps.

— C'est bon, c'est bon, j'ai compris !

Nick se dirigea vers la porte en mangeant du raisin, mais Hale lui bloqua le passage.

— Je n'ai pas l'impression que tu aies compris.

— Ce n'est pas une petite vieille ordinaire, ajouta Kat, en rejoignant Hale. Ce n'est ni une dinde, ni une truffe, et elle est au turbin depuis plus longtemps que nous tous réunis.

Nick éclata de rire.

— Ça me rappelle un escroc particulièrement coriace que j'ai réussi à suivre un jour à Paris.

— Sérieusement Nick. Elle est très forte.

— Toi aussi.

— Je ne plaisante pas, l'avertit Kat.

Nick ne souriait plus.

— Moi non plus.

Il contourna Hale et s'en alla sous les yeux de toute l'équipe. Les Bagshaw ne tiraient plus. Simon ne tripotait plus son ordinateur. Même Gabrielle restait assise sans bouger, le dos bien droit, qui demanda :

— Qu'est-ce qu'on va faire ?

— Simon, je veux que tu continues à travailler sur les documents d'Interpol. Si tu trouves quelque chose au sujet de Maggie, fais-le-moi savoir. Angus et Hamish, vous vous occupez de LaFont. Je veux savoir s'il fait partie de la magouille ou bien s'il...

Kat s'interrompit, et Hale continua sur sa lancée :

— Est-ce qu'elle se sert de lui comme elle s'est servie de nous ?

– C'est ça, confirma Kat.

– Et nous alors ? demanda Gabrielle à l'abri de son grand chapeau.

– Il semble que la Cléopâtre a toutes les attentions sur elle, n'est-ce pas Simon ? demanda Kat.

– Exact, dit Simon.

Le regard de Kat se perdit dans l'eau bleue et sur la côte au loin.

– Bien. Je pense qu'il est temps d'aller faire un peu de tourisme.

Forteresse était un mot qui, selon Katarina Bishop, était le plus souvent utilisé à tort. C'est un mot qui, par exemple, ne *qualifie* pas véritablement une bijouterie ou la plupart des banques.

Il est exagéré de parler de forteresse en ce qui concerne la majorité des bases militaires – à l'exception évidemment de Fort Knox. Et même la moitié des palais résidentiels de la planète ne sont pas des forteresses inviolables. Encore moins le palais de Monaco.

– Marcus aurait pu nous conduire en voiture, dit Hale tandis qu'ils suivaient tous les deux Gabrielle le long de la route escarpée qui conduisait à l'enceinte du palais de la famille Grimaldi.

– Il paraît que les jeunes ne font pas assez de sport de nos jours, alors faisons mentir les statistiques, dit Kat en tapotant les abdominaux de Hale. Mais au contact de son compagnon, elle se mit à rougir.

– Savez-vous qu'une demi-douzaine d'armées ont essayé en vain de prendre cette forteresse ? dit Hale, soufflant légèrement alors que Gabrielle accélérait le rythme et que la pente se faisait plus raide.

— Alors c'est une bonne chose que nous ne soyons pas une armée, n'est-ce pas ? dit Gabrielle.

La brise légère et fraîche soufflait de la Méditerranée à travers les cyprès qui longeaient le chemin de crête.

— Si le bal a lieu jeudi soir, et la vente au palais vendredi... déclara Hale.

Kat désigna les murs d'enceinte au loin.

— Alors le palais princier est notre dernière tentative, et c'est une mauvaise chose. Mais cela nous donne le temps de nous préparer. Ce qui est une bonne chose. Mais c'est le palais...

— Qui est une mauvaise chose ? devina Hale en lui souriant.

L'espace d'un instant, Kat oublia complètement la malédiction de la pierre, et sa pensée tourna en boucle autour de ce foutu baiser qui était le baiser le plus maladroit de toute l'histoire des baisers les plus nuls.

Elle sortit son appareil photo de sa poche et mitrailla la baie qui se trouvait au-dessous, avec ses rangées de yachts et de bateaux à moteur. Le palais se dressait tout en haut sur un plateau majestueux.

Gabrielle regardait la muraille en pierre blanche qui semblait sortir des vagues.

— Je pense que je peux le faire.

— Ces falaises mesurent plus de cinquante mètres de haut avec une pente à quatre-vingts degrés, dit Kat, sans regarder précisément sa cousine.

Gabrielle prit très mal la provocation.

– Oh, parce que tu crois que ton père était tout seul quand il a grimpé sur la tour de la banque de Kyoto en septembre dernier, un jour de grand vent !

– Il est très risqué d'escalader ces falaises, Gabrielle.

– Et alors ? contre-attaqua Gabrielle.

– Alors ? Attrape ! dit Kat en jetant une pièce de monnaie en l'air dans la direction de sa cousine.

Gabrielle se précipita, mais elle fit un faux mouvement, se tordit la cheville, et son sac à main s'ouvrit, répandant son contenu sur le pavé : deux portefeuilles, trois cartes d'identité, deux flacons de vernis à ongles et un pistolet paralysant.

– Aïe ! dit Gabrielle qui regarda sa cousine. Pourquoi as-tu fait ça ?

Hale souleva Gabrielle et la remit sans effort sur ses jambes.

– On oublie la grimpette sur les falaises, conclut Kat.

Gabrielle soupira, mais acquiesça.

– Pas de grimpette.

Kat posa sa main au-dessus de ses yeux pour éviter le soleil et examiner l'obstacle au loin.

– Donc on ne peut pas passer par là, et comme le palais est implanté sur de la roche dure, on ne peut pas faire de tunnel par en dessous. Et si on parvient à entrer (elle regardait les grilles d'entrée) il faudra encore récupérer la pierre et la faire sortir...

Elle se retourna et les regarda.

– Il faut repartir maintenant.

– Charlie pourrait peut-être nous faire un autre faux ? suggéra Hale, mais Kat secoua la tête.

— Pas le temps.

— Peut-être... commença Gabrielle, mais Kat avait déjà fait demi-tour.

La descente était anormalement rapide, comme si la force de gravité entraînait Kat le long de la colline jusqu'au rivage tout en bas.

— Que nous réserve encore cette émeraude, Hale ?

— Des trucs que tu ne vas pas apprécier, dit-il en hochant la tête.

Et Kat continua à dévaler la pente. Tout cela sentait très mauvais.

Au cours des cinq heures qui suivirent, Kat et ses compagnons se transformèrent en touristes ordinaires, comme tous ceux qui viennent sur la Côte d'Azur chaque année. Même s'il ne faut pas se fier aux apparences.

La Banque royale nationale était très imposante, et très peu de passants purent entendre la jeune fille dire à son camarade :

— Le coffre de dépôt de LaFont fait-il partie des privilèges de sa carte Bleue platine ?

— Ouais.

— Et la pierre est déposée là chaque fois qu'il n'y a pas d'exposition officielle ?

— Oui.

— Et notre dernière chance de la récupérer, c'est jeudi soir ?

Le garçon confirma.

— Avant la vente aux enchères de vendredi matin.

— Alors, ne me dis surtout pas qu'il s'agit du modèle Decanter 940 avec imagerie hypersensible à la chaleur ?

demanda la fille en désignant les caméras fixées à intervalles réguliers tout autour du périmètre de sécurité.

– Si, répondirent ses compagnons à l'unisson.

La jeune fille cacha son regard bleu brillant derrière une paire de lunettes noires, en déclarant sans se retourner :

– On continue, next !

En franchissant l'immense portail de la cathédrale de Monaco, Kat se retourna.

– Qu'est-ce qui va se passer ici ? demanda-t-elle.

– Photos publicitaires, dit Hale.

– OK...

Kat jeta un coup d'œil sur les portes et les caméras, les endroits où elle imaginait que pourraient se trouver les gardes et la pierre.

– Ça peut marcher si on réussit à avoir...

– Les gardes du palais... ajouta Hale.

Kat tourna les talons et se dirigea vers la porte.

– Problème suivant.

Kat se tenait devant la suite de l'hôtel où Maggie avait invité une délégation de dignitaires égyptiens à prendre le thé et elle se surprit à réagir de façon automatique – il y avait beaucoup trop de gardes du corps, et pas assez de portes de sortie.

Au coin de la rue, Simon déclara qu'il était possible de retarder la voiture blindée cinq minutes de plus, pendant que la pierre entrait ou sortait du palais princier. (Mais il y avait beaucoup trop de passants et pas assez de lieux où se planquer.)

Il y avait un endroit quelque part entre la banque et la bijouterie princière, où la pierre devait recevoir sa patine officielle, et le groupe retrouva une lueur d'espoir ; mais aussitôt Kat secoua la tête et refusa cette possibilité (pas assez de temps de préparation et, de plus, aucune équipe frappée de malédiction ne devrait envisager un job requérant un équipement de plongée).

C'est le cœur lourd et sans beaucoup d'espoir que Kat se tourna vers Hale.

– Il nous reste jeudi soir…

Le plus gros du repérage était terminé. Simon était occupé quelque part à scanner les documents d'Interpol, et Nick continuait de suivre Maggie. Marcus était arrivé en limousine et avait enlevé Gabrielle d'un coup de baguette magique. Les Bagshaw étaient de l'autre côté de la ville, en train de fouiller la maison de LaFont. Kat et Hale étaient restés seuls et ils arpentaient une petite rue remplie de boutiques élégantes et de voitures de luxe.

– Est-ce qu'on sait où va avoir lieu le bal ?

– Oui.

– On y va maintenant, ou bien…

– D'abord, on s'arrête.

Hale se tourna vers une vitrine étroite avec un store bleu. La porte tinta lorsqu'ils entrèrent.

Kat savait qu'il y avait un truc, il devait y en avoir un. La banque était peut-être reliée au magasin et le coffre accessible par le sous-sol. Peut-être que le styliste de Maggie travaillait là, Gabrielle pourrait prendre sa place, échanger les émeraudes, puis prendre la fuite dans le coffre d'une voiture remplie de vêtements.

Le cerveau de Kat fonctionnait à plein régime, mais certainement pas comme le ferait celui de toute autre jeune fille dans l'une des boutiques de mode les plus fantastiques de la Côte d'Azur. Elle était si préoccupée, en réalité, qu'elle ne vit pas la vendeuse s'approcher en souriant de Hale.

— Je suis désolée, dit Kat à la vendeuse. Nous n'avons pas vraiment l'intention d'acheter...

— Comment allez-vous, monsieur Hale ? Ravie de vous revoir, minauda la fille, et elle embrassa le garçon sur les deux joues comme si Kat ne lui avait pas adressé la parole. Je crois que nous avons...

Elle s'interrompit en voyant arriver de l'arrière-boutique une fille tout aussi grande qu'elle, bronzée et magnifique, avec au moins une douzaine de sacs dans les bras.

— Oui nous avons des choses sublimes pour vous, Hale, dit la deuxième fille en lui tendant les sacs, sa main s'attardant sur la sienne un peu plus longtemps que nécessaire.

— Comme d'habitude, Isabella. Transmettez mes amitiés à Renée, OK ?

— Au revoir, dit Isabella.

— À la prochaine, répondit Hale.

Ils étaient déjà presque arrivés à la porte, quand il lança à Kat :

— Maintenant, nous sommes prêts.

Kat soupesa le sac de vêtements qu'il lui remit.

— Je n'ai pas l'impression que ce soit un équipement de cambrioleur avec harnais incorporé...

— Non.

— Alors est-ce que tu peux me dire ce que je vais trouver là-dedans ?

Hale se contenta de sourire.

– Je ne porte pas de robes sophistiquées, lui expliqua Kat.

– Ce soir, tu vas en avoir besoin.

– Pourquoi ? Que se passe-t-il ce soir ? Où allons-nous ?

Il s'arrêta et mit ses lunettes noires.

– C'est mon affaire.

CHAPITRE 26

Techniquement parlant, le mal de mer de Kat aurait dû s'estomper avec le temps, mais elle avait encore plus la nausée que d'habitude lorsqu'elle monta à bord du *W. W. Hale*. Elle pensa d'abord que c'était à cause du temps changeant et de la marée. Elle essaya de se persuader qu'il ne s'agissait que d'un voyage de reconnaissance – rien de plus – mais chaque fois que son regard tombait sur le sac de vêtements qui se trouvait au bout du grand lit, elle se sentait complètement bouleversée à l'idée qu'un truc n'allait pas du tout, mais alors pas du tout.

– Hello, Kitty, la salua Gabrielle en entrant dans la chambre.

– Angus et Hamish prétendent que les rues autour de la banque sont un véritable cauchemar, et que pour y arriver il faudrait un brise-glace ou une moissonneuse-batteuse....

Elle s'arrêta devant le sac de vêtements.

– Oh! J'adore cette boutique! s'exclama-t-elle en

238

renversant une lampe de chevet et en faisant couler son verre de jus de fruits sur le tapis avant de déchirer le sac pour l'ouvrir.

– Oh, s'exclama Gabrielle en regardant dedans, c'est *ta* taille…

Malédiction ou pas, elle ressemblait à une déesse rien qu'en tenant la robe devant son corps et en étudiant son reflet dans l'un des miroirs de la pièce.

– Gabrielle.

La voix de Kat étais toute petite et très timide, presque méconnaissable ; et comme elles n'étaient que deux dans la chambre, il fallait se rendre à l'évidence, il était trop tard pour faire machine arrière.

– Gabrielle, dit Kat, un peu plus fort cette fois.

Elle reprit la robe des mains de sa cousine.

– Qu'est-ce qui te prend ? lui demanda Gabrielle.

Kat voulait lui parler des malédictions, des pierres précieuses et de l'orgueil. Une partie d'elle-même avait envie de crier et d'injurier les vieilles voleuses, les jeunes aussi, les perverses ; et l'ironie de la situation dans laquelle elle était la voleuse volée.

Mais la seule chose qu'elle parvint à articuler fut :

– J'ai embrassé Hale.

– Tu as fait quoi ? Quand ? Comment ?

– J'ai embrassé Hale. Après le casse. Et j'ai fait comme tout le monde… je suppose… Gabrielle ?

L'impatience montait dans la voix de Kat.

– Gabrielle, remets la robe dans le sac et…

– Tu m'impressionnes, Kitty, dit Gabrielle. Je commençais à penser que tu ne te jetterais jamais à l'eau. Alors, c'était comment ?

239

– Il est parti, dit Kat, se souvenant de chaque détail. Je l'ai embrassé et il est parti en Uruguay.

– Au Paraguay, rectifia Gabrielle. Et techniquement il n'a jamais quitté le pays.

– Il est parti, répéta Kat, bloquée sur la seule chose qui comptait pour elle.

– Et il est revenu, répliqua Gabrielle.

Mais l'esprit de Kat dérivait ; elle se souvenait de chaque geste, chaque sourire... Elle prit un coussin recouvert de soie sur ses genoux, en revoyant le petit lit de sa mère dans la chambre rose de la maison de l'oncle Eddie.

– Il est en colère contre moi.

– Hem... je crois que tu as déjà dit ça il y a quelques jours et à trois mille kilomètres d'ici, répondit Gabrielle.

– Je ne sais même pas pourquoi.

Gabrielle s'appuya sur son pied valide et regarda sa cousine. Elle balança la robe de couturier sur le lit et lui dit :

– Menteuse !

– Il n'aime pas quand je prends des risques, dit Kat. Mais Gabrielle, franchement, je n'avais vraiment pas besoin d'aide pour ces jobs. Je n'étais pas en danger, et si j'avais eu besoin d'aide, j'aurais... elle s'arrêta pour observer l'expression de sa cousine. Quoi, qu'est-ce qu'il y a ?

– Rien, dit Gabrielle en haussant les épaules. C'est juste... est-ce que tu as déjà réfléchi au fait qu'avoir *besoin d'aide* et *vouloir* Hale sont deux choses complètement différentes ?

Kat était le stratège – le cerveau – mais elle resta scotchée pendant un bon moment, à gamberger sur la possibilité que sa cousine Gabrielle soit probablement la fille la plus intelligente au monde. Ou du moins de leur monde.

— Hale est mon meilleur ami, dit-elle simplement.

— Je sais.

— Je me demande ce qui arriverait s'il devenait mon *petit* ami.

— Moi je le sais, dit Gabrielle comme si elle était contente que Kat ait enfin compris.

Les vagues dansaient doucement contre la coque du yacht, et Kat sentait que son estomac allait se retourner d'un moment à l'autre ; une seule pensée la tenaillait, une question qu'elle avait peur de poser.

— Est-ce que les garçons deviennent cinglés quand on les embrasse ?

— Oui, dit Gabrielle simplement, mais pas de la manière que tu imagines.

Kat aurait pu demander à sa cousine ce qu'elle entendait par là, mais il y avait trop de mystères dans sa vie, trop de coffres-forts qu'elle ne pouvait pas ouvrir, et parmi eux il y en avait un qui renfermait une bombe à retardement, alors elle se contenta de récupérer la robe.

— Gaby, est-ce que tu peux m'aider avec…

La porte venait de s'ouvrir, elle sursauta.

— Bon sang, Simon ! dit-elle au garçon qui arrivait tout essoufflé de l'extérieur. Tu m'as vraiment foutu les jetons ! Qu'est-ce qui se passe ?

Son regard allait de Kat à Gabrielle, et vice versa. Sa chemise, qui sortait de son pantalon, était toute chiffonnée. Il ressemblait à tout sauf à un génie.

— Heu, je pense que vous devriez venir voir ça toutes les deux.

Il y avait une salle, sur le bateau, que Kat n'avait jamais visitée auparavant. Elle était située près du pont, tout en haut, et comportait des divans confortables et un grand piano à queue ; il y avait des fenêtres sur trois côtés, et au loin on voyait le soleil se coucher sur la mer.

Malgré les ordinateurs et les plateaux où traînaient des canettes de Coca vides et des sandwichs à moitié mangés, on sentait que cette pièce était faite pour le champagne et le caviar. Peut-être à cause de la vue, pensa Kat. Ou peut-être parce que Hale était déjà là, et qu'il portait un habit de soirée.

– Hou là là, lui dit Gabrielle en rajustant sa cravate.

Mais Kat était concentrée sur Simon.

– Raconte-moi, dit-elle.

– Bien, alors...

Simon semblait avoir peur de parler et sa voix était hésitante et enrouée.

– J'ai regardé tous les documents comme tu m'as demandé...

– Et tu as pu trouver Maggie, n'est-ce pas ? questionna Angus, sur le seuil de la porte, à côté de son frère Hamish.

– Ben non !

Simon secoua la tête. Ses yeux étaient écarquillés.

– Elle n'a pas de dossier, il n'y a aucun fichier sur Maggie. Nulle part. Elle n'apparaît même pas dans la base de données d'Interpol, c'est comme si elle n'existait pas. Elle est...

– Simon, dit Hale en le coupant dans son envolée lyrique.

– OK, dit Simon.

Puis il se tourna vers Kat.

242

— Comme je disais, je n'ai pas pu la trouver dans les dossier. Alors j'ai arrêté de la chercher.

— Je te suis, approuva Kat, sachant que c'était très important, même si elle ne savait pas pourquoi.

— Au lieu de cela, j'ai commencé à faire des recherches... sur la pierre.

Simon se dirigea vers la boîte de dossiers poussiéreux que Kat avait rapportés des sous-sols d'Interpol.

— Selon nos amis de Lyon, il y a eu au moins une dizaine de tentatives de vol de l'Émeraude de Cléopâtre depuis qu'elle a été découverte. Une à Paris en 1949, dit-il en jetant un dossier sur la table. Mexico City en 1952. Londres en 1963.

Simon avait l'air fatigué, autant que les dossiers qu'il sortait de la boîte, comme si les secrets qui s'en échappaient absorbaient son énergie au fur et à mesure qu'ils émergeaient du passé. Enfin il sortit le dernier.

— Et bien entendu, il y a celle de l'Exposition universelle de Montréal.

— Quand ? demanda Hale, mais l'esprit de Kat se promenait dans un autre endroit, au cours d'une autre nuit, et elle revit les clés qu'elle avait trouvées en fouillant, à l'arrache, le bureau de l'oncle Eddie.

Elle murmura comme pour elle-même :

— 1967.

Simon approuva lentement en hochant la tête.

— C'est la première fois que la pierre était exposée devant le grand public et... bon... c'était vraiment un événement incroyable qui a eu lieu la nuit de l'ouverture de l'expo.

Puis il appuya sur une touche du clavier, et toute

243

l'équipe regarda l'écran se remplir de photos en noir et blanc d'hommes en smoking et de femmes en robes du soir.

Les femmes avaient des chignons crêpés. Elles étaient maquillées façon Cléopâtre, avec un gros trait d'eye-liner sous les yeux qui remontait jusqu'aux sourcils, mais une seule femme se détachait de la foule sous leurs regards fascinés. Jeune, souriante et superbe, et qui, malgré quelques dizaines d'années de moins, ressemblait sans aucun doute possible à Maggie.

– C'est bien elle, n'est-ce pas ?

– Absolument, dit Hale, ma main à couper.

Kat eut soudain l'impression qu'elle était en train de s'introduire dans une chasse gardée, une propriété privée, un secret de famille, un interdit. Cette histoire ne lui appartenait pas, mais elle ne pouvait pas s'en détacher, pas maintenant. Ils avaient voyagé depuis si longtemps et l'enjeu était trop grand pour laisser tomber. Elle ne pouvait rien faire d'autre que contempler deux visages identiques à côté de celui de Maggie.

Simon désigna les deux frères.

– Et elle n'était pas seule.

CHAPITRE 27

Kat se rappela vaguement s'être habillée. Il y avait eu une conversation qui concernait Gabrielle, la malédiction, et un fer à friser récalcitrant. (Marcus avait fait une brève apparition avec une trousse à pharmacie.) Mais durant tout le processus de préparation de la mission de reconnaissance, Kat était restée dans le flou, assise à côté de Hale dans le petit bateau à moteur qui les conduisait du yacht jusqu'à la plage, elle ne pouvait rien faire d'autre que regarder fixement les vagues sombres en murmurant :

— Ils avaient l'air tellement jeunes ! Non ?

— Ouais, dit Hale, en effet.

Pourtant, elle n'était pas idiote. Elle savait que ses oncles avaient été de grands et beaux jeunes hommes autrefois. Elle avait entendu des histoires. Elle connaissait leurs légendes. Mais de les voir en pleine action à leurs débuts, les voir ensemble était la sensation la plus étrange qu'elle ait jamais éprouvée.

Elle se demanda quel avait été le plan de l'oncle Eddie, comment un des plus grands voleurs s'y était pris pour tenter de voler la pierre qu'elle-même poursuivait de l'autre côté de la planète. Plus important encore, Kat voulait savoir comment et pourquoi tout avait mal tourné. Elle se demanda ce que l'oncle Eddie dirait aux jeunes gens sur la photo s'il pouvait remonter le temps et leur envoyer un message ; puis elle réalisa que c'était peut-être ce même avertissement qu'il avait essayé de lui donner à elle.

— C'était peut-être une coïncidence, le fait que Maggie soit sur la photo, dit Hale.

Kat le regarda.

— Bon, disons que le mot *coïncidence* n'est peut-être pas approprié. Mais c'était un gala gigantesque, il y avait énormément de gens ce soir-là.

— Non, répondit Kat en secouant la tête alors que le bateau s'arrêtait devant le quai, elle était dans le coup.

— Comment tu le sais ?

Parce que dans ce milieu, la coïncidence n'existe pas. Parce que Maggie était à la recherche de cette pierre depuis des années.

— Parce que je la connais, dit finalement Kat sans le regarder. Je la connais, Hale. Je crois... Je crois que je suis elle...

— Non.

Hale sortit du bateau et se pencha pour l'aider à grimper sur le quai d'un geste élégant, et il la serra contre lui en répétant :

— Non, tu ne l'es pas.

CHAPITRE 28

Dire que Monaco est une petite principauté va de soi : avec environ trente mille habitants, elle pourrait tenir sur la superficie de Central Park à New York. Elle a peu de ressources et ses possibilités d'autarcie sont extrêmement limitées ; cependant, cette petite côte rocheuse est devenue un des territoires les plus riches de la Terre.

Kat déambulait dans les petites rues pavées, Hale à son côté, et elle se disait que tout était possible. Enfin... presque.

— Nous y voilà... dit-il en désignant les fontaines et les jardins magnifiquement entretenus qui constituaient le cœur même de Monte-Carlo.

— Le casino de Monte-Carlo, annonça Kat d'une voix morne. Tu veux qu'on fasse un casse au casino ?

— Un casse *dans* le casino, rectifia Hale, c'est pas la même chose. D'ailleurs (il désigna une banderole au loin qui annonçait au monde entier que la Marc Antoine allait arriver) ceci est la dernière étape sur l'itinéraire de l'émeraude avant la vente aux enchères qui va avoir lieu au palais vendredi matin.

Il lui offrit son bras.

— Alors, qu'est-ce que tu en dis ? Prête pour un casse *au* casino ?

Kat regarda Hale, et s'aperçut qu'elle n'avait plus le mal de mer. Elle tenait parfaitement sur ses jambes quand il prit son bras.

— Je suis prête à récupérer la Cléopâtre.

Même si Kat ne connaissait Hale que depuis deux ans environ, elle l'avait déjà vu dans d'innombrables situations. Un long week-end au Brésil pendant le carnaval. Elle avait un souvenir particulièrement précis d'un job avec des canards, de l'hélium, et un bateau à vapeur en partance pour Singapour ; elle avait constaté qu'il paraissait à l'aise partout où il se trouvait. Mais en se promenant avec elle au rez-de-chaussée du plus grand casino, là en plein centre de Monte-Carlo, il semblait appartenir à ce milieu.

Puis elle observa la façon dont il tirait un portefeuille en cuir de la poche intérieure de la veste de son smoking fait sur mesure, pour demander au caissier, un homme âgé de belle prestance assis derrière les grilles de la caisse du casino :

— Donnez-moi cinq cents, s'il vous plaît.

Ses gestes étaient si élégants que l'employé, dans sa cabine, ne pensa même pas à lui demander ses papiers d'identité, et Kat réalisa que W. W. Hale, cinquième du nom, était chez lui ici, en quelque sorte.

– Quoi ? demanda-t-il, comme Kat le dévisageait bizarrement.

Il lui fit un énorme sourire d'une oreille à l'autre.

– Est-ce que j'ai un truc entre les dents ?

– Oui, dit-elle en ricanant. Je crois que le canari que tu as mangé a laissé quelques plumes.

L'employé glissa un ticket doré dans la fente du guichet, et Hale le mit dans la poche de son manteau en le tapotant, à l'endroit du cœur comme pour se porter chance.

– Allez, viens, dit-il en prenant sa main. Je sens que je vais avoir de la veine ce soir.

C'était peut-être le moment opportun pour lui parler de la malédiction et pour lui rappeler que le black-jack était un jeu de probabilité, que la roulette était réservée aux débiles – toutes ces petites choses qu'elle avait apprises sur les genoux de son père et de l'oncle Eddie autour de la table de la cuisine.

Alors non, décidément, la chance n'avait rien à voir avec tout cela en ce qui concernait Kat, mais ce n'était pas le moment d'en parler, parce que Hale tenait sa main droite dans la sienne et de sa main gauche la guidait par la taille à travers les grandes portes, au milieu de la foule. Kat ne pouvait pas s'empêcher de penser que ça ressemblait à un bal de promo du lycée. Pendant un bref instant, elle eut l'impression d'être une fille normale, une fille comme les autres, qui s'était mise sur son trente et un pour une soirée en ville avec le garçon de ses rêves. Ils s'arrêtèrent devant une balustrade qui donnait sur la salle du casino. Sous leurs pieds, l'agitation aux tables de jeu et le tournoiement de la roulette. Les cartes étaient distribuées à toute allure. Les hommes en habits et les femmes élégantes déferlaient dans une chorégraphie étourdissante. Elle réalisa à ce moment-là que rien dans sa vie ne serait jamais normal.

– Alors c'est ici que le bal va avoir lieu... marmonna Kat.

– Notre dernière tentative avant la vente, continua Hale. Il se pencha sur la balustrade et se retourna pour la regarder. Et d'après toi, ça va être comment ?

Kat pensait que ce serait sublime. D'autres auraient dit « glamour ».

Il était aisé d'imaginer cette salle remplie de richissimes acquéreurs, avec la musique, les cocktails et bien entendu l'émeraude la plus précieuse que le monde ait jamais connue. Aussi elle se contenta de secouer la tête en disant :

– Difficile.

Hale la regarda.

– Tu sais, j'ai toujours adoré les soirées de gala.

Kat jeta un coup d'œil panoramique sur la salle en se disant que n'importe quelle personne sensée aurait éprouvé un peu de panique, vu le nombre de gardes et vigiles (vingt-huit au rez-de-chaussée, cinquante-six en tout). L'oncle Eddie, à juste titre, aurait pu la déshériter pour ne pas avoir lâché l'affaire après avoir compté le nombre de pas entre l'emplacement supposé de l'émeraude et la sortie la plus proche (deux cent douze). Une folie.

À ce moment-là, elle avait la tête farcie, par trop de plans, de stratégies et de théories. Kat ferma les yeux et se concentra. Que ferait Visily Romani à sa place ? se demanda-t-elle pendant une seconde, puis elle chassa cette pensée et se posa la question qui l'obsédait depuis des heures : qu'avait fait l'oncle Eddie ? et Charlie ? et Maggie ?

Maggie...

— Évidemment, moi ici, j'ai droit à un crédit presque illimité ! s'écria une voix tonitruante à l'attention de la foule qui l'entourait, riant à chacune de ses blagues.

Mais pour Kat, le temps de la rigolade était terminé. La balustrade était douce sous ses mains, tandis qu'elle observait Maggie dans son numéro particulièrement au point de reine du bal, courtisée par une foule conquise.

Maggie, qui lui avait fait le coup de la frêle vieille dame, avec ses photos en noir et blanc appartenant à d'autres familles, d'autres enfants, *pour mieux te manger mon enfant...*

Maggie, qui avait utilisé le nom de Romani.

Maggie, qui se tenait dans une salle de bal à peu près comme celle-ci en 1967 avec ses oncles, et qui depuis lors courait après cette émeraude.

Mes oncles à moi, pensa Kat en souriant tristement. Ses oncles sauraient quoi faire, eux. Mais rien que d'y songer, son sourire changea.

— Qu'est-ce que tu regardes ? lui demanda Hale. Pourquoi souris-tu ? Ça m'inquiète quand tu souris.

— Je sais pourquoi elle a fait ça, Hale. Je sais pourquoi elle m'a embrouillée.

— Ben... oui, répliqua Hale, il peut y avoir cent millions de raisons.

— Non, Hale, dit-elle en posant ses mains contre son torse, sentant son cœur battre contre ses doigts quand elle dit : je sais pourquoi elle m'a escroquée, *moi*. On ne peut pas monter ce casse sans avoir en main la pierre véritable

– c'était possible il y a quarante ans peut-être, si la fausse pierre était vraiment bien faite et le marché noir vraiment naze. Mais on ne peut même plus faire la moindre transaction au marché noir maintenant, avec la technologie moderne. Si on n'a pas la véritable pierre de Marc Antoine, et si on ne peut pas la contrefaire…

– On ne peut pas vendre la pierre de Marc Antoine, termina Hale.

Kat acquiesça, haussa les épaules.

– Oui, la seule façon de *prétendre* qu'on a la pierre de Marc Antoine, c'est d'avoir entre les mains l'Émeraude de Cléopâtre. La seule façon de faire passer la Cléopâtre pour celle de Marc Antoine, c'est de savoir où se trouve la *fausse* Cléopâtre, pour l'échanger avec la vraie. Mais combien de faussaires de génie peuvent faire cela dans le monde ?

– Un seul, Charlie ? suggéra Hale.

Kat opina en soupirant.

– Seulement Charlie.

Elle se tourna lentement, son regard balayant la salle – les smokings, les robes de bal et l'endroit où se trouverait bientôt l'émeraude, au centre de la réception. C'était comme si on se retrouvait en 1967, dans un univers en noir et blanc. Kat n'osa même pas se demander ce que cela lui ferait de poursuivre cette pierre pendant encore cinquante ans.

– Ici, murmura Kat au milieu du bruissement de la foule. On va le faire ici.

– Heu Kat, je ne voudrais pas paraître rabat-joie, mais j'imagine que tu as vu les gardes ? répliqua Hale.

– Oui, dit-elle, et elle se mit à rire sans raison apparente.

– Et il va y en avoir au moins... vingt pour cent de plus dès que la pierre va arriver ici.

– Plutôt trente, précisa-t-elle. Si on a de la chance. Mais il faut que cela se produise ici, Hale.

Elle revit ses oncles, jeunes, beaux, identiques. Une merveille de la génétique.

– On peut le faire ici à condition d'avoir de l'aide... Il nous faut quelqu'un d'inflitré.

– D'accord, je peux...

– Pas toi.

Hale concéda :

– Bon, alors Nick...

Mais il s'arrêta en voyant qu'elle se retournait vers lui et souriait comme si elle avait oublié provisoirement ce que l'on ressent quand on est le pigeon ou le dindon de la farce... bref, le loser de l'affaire.

– Nous ne sommes pas les seuls qui allons devoir lui faire confiance, dit-elle en hochant la tête. Autrement dit, on a vraiment besoin de l'infiltré *numéro un*.

Hale l'observa. Kat lui proposa :

– Dis-moi... que penses-tu des hélicoptères ?

J –3 avant la vente
aux enchères

Quelque part en Autriche

CHAPITRE 29

Salut, oncle Charlie.

Kat et Hale tremblaient de froid dans leur manteaux trop minces, les mains dans les poches, tandis que la neige tourbillonnait autour d'eux. Une tempête approchait. Le vent était encore plus froid que dans ses souvenirs. À moins, réalisa Kat, que ce soit l'accueil glacial de son grand-oncle quand il lui dit :

— Tu as quand même du culot de venir me déranger dans ma montagne avec tes histoires.

Il rentra dans la maison faiblement éclairée, en criant derrière lui :

— Retourne chez ton oncle, Katarina !

— Je suis chez mon oncle.

— Édouard te dirait…

— Eddie est à des milliers de kilomètres d'ici, oncle Charlie. Eddie s'en fiche…

Charlie s'arrêta et se retourna.

— Il s'inquiéterait pour cette affaire.

– Pourquoi ? demanda-t-elle, en se rapprochant de lui et en enjambant le fatras de toiles et d'objets hétéroclites qui jonchaient le sol.

Son oncle était déjà assis devant le feu, occupé à tisonner les braises.

– Pourquoi l'Émeraude de Cléopâtre est-elle si importante, oncle Charlie ? Qu'est-ce qui s'est passé en 1967 ?

– Il ne faut pas en parler, Katarina.

– Très bien, alors parlons d'elle.

Kat sortit de sa poche une photo qu'elle avait découpée dans un journal français.

– Elle se fait appeler Maggie en ce moment. Il y a quelques semaines, elle m'a dit s'appeler Constance Miller et que Visily Romani voulait que je vole l'Émeraude de Cléopâtre. C'est un escroc de premier ordre, oncle Charlie. Une pointure.

Elle étudia le visage de son oncle, le regarda respirer calmement, sans marquer le moindre signe d'émotion.

– Mais tu étais déjà au courant, n'est-ce pas ?

Charlie désigna l'endroit où il vivait.

– J'ai bien peur que mon cercle d'amis ne soit plus aussi large qu'autrefois. Je regrette, mais je ne peux pas t'aider.

Les mots sonnaient juste, c'était comme se trouver devant un athlète qui n'est plus dans la course depuis longtemps. Il était lent et rouillé, mais le talent était toujours là, prêt à refaire surface.

– Bien tenté, Charlie, sourit Kat. Le timing était correct, mais tes yeux… ils ne savent plus jouer la comédie.

– Kat…

– Elle m'a eue, oncle Charlie. Elle est trop forte, et moi je me suis laissé avoir, comme une idiote.

258

Kat éclata de rire, même si ça n'avait rien de drôle.

— Elle m'a dit exactement ce que j'avais envie d'entendre.

Elle risqua un coup d'œil vers Hale, attendant son approbation avant de poursuivre :

— Et nous avons réussi ce qu'aucune équipe n'avait pu faire jusqu'à présent. Nous avons volé l'Émeraude de Cléopâtre.

Dans le silence de la pièce, on n'entendait que le crépitement du feu de bois. Elle ne s'attendait pas que Charlie la félicite ou la réconforte, elle ne voulait que la vérité.

— Je me suis fait avoir, admit Kat, et pendant longtemps je n'ai pas compris pourquoi. Pourquoi prendre le risque de mettre en colère mon oncle et mon père et tout un tas de gens prêts à se venger ? Pourquoi se servir de *moi* quand il y a au moins une demi-douzaine d'équipes tout aussi habiles ?

— Je ne la connais pas, répéta-t-il.

— Et moi je te dis que si, Charlie, s'obstina Kat. Parce que pour faire passer l'Émeraude de Cléopâtre pour celle de Marc Antoine, il faut que personne ne sache que la Cléopâtre a disparu. La seule façon d'effectuer l'opération qu'elle a mise sur pied, c'est de posséder une *fausse* pierre de Cléopâtre. Et la seule personne qui puisse imiter cette pierre, c'est toi.

— Je ne la connais pas, Katarina.

— Si.

Kat fouilla dans sa poche et trouva la seconde photo, celle avec les tenues de soirée et les chignons des dames, à l'Exposition universelle.

— Bien sûr que tu la connais.

Les mains de Charlie ne tremblèrent pas quand il prit la photo. Il était adossé au manteau de la cheminée, et il semblait perdu dans sa contemplation.

— Elle a pris un coup de vieux, dit-il doucement, et en un éclair, la photo était dans le feu, calcinée par les flammes. Mais j'imagine qu'elle n'est pas la seule.

Kat se demanda une fois de plus ce qui était arrivé à Charlie, et pourquoi il se retrouvait en haut de cette montagne, coincé par la neige et le vent, loin de sa famille et du reste du monde. Kat se demanda si l'oncle Eddie n'avait pas raison de vouloir la dissuader – *elle aussi* pourrait se retrouver en cavale un jour ou l'autre.

— Qu'est-ce qui s'est passé en 1967, oncle Charlie ?

— Les choses ont mal tourné, Kat. Tu connais ça.

Il essaya de se défiler, mais Kat l'attrapa par la main sans vouloir la lâcher.

— Tu veux dire, au point de faire peur à l'oncle Eddie ? Au point de vous séparer tous les deux ?

Elle agrippa ses doigts, et plongea son regard dans le sien :

— Qu'est-ce qui s'est passé en 1967 ?

Charlie essaya de se dégager :

— Demande à ton oncle.

— C'est ce que je fais. Peu importe qui est cette Maggie, elle a abusé du nom de Romani. Elle m'a utilisée. Et toi aussi. Elle nous a tous utilisés.

Charlie se contenta de rire.

Ses yeux étaient redevenus tristes quand il ajouta :

— Ce n'est pas la première fois.

Kat regarda son oncle installé dans le fauteuil près du

feu inspirer profondément. Il avait l'air beaucoup plus vieux, d'un coup.

– En 1959, deux frères ont quitté la Roumanie pour monter leur propre affaire. Ils ont traversé l'Europe de l'Est et les pays baltes, ils sont allés à Londres pendant une période. En cours de route, ils ont rencontré une fille....

Kat prit place sur un tabouret, tandis que la chaleur du feu commençait à la réchauffer. C'était comme si elle se retrouvait dans la cuisine de l'oncle Eddie, en train d'écouter, d'apprendre et de mieux comprendre l'univers de sa famille.

– Elle nous a changés, Katarina. Nous étions devenus méconnaissables, Eddie et moi, ajouta Charlie en riant. Nous étions accros, cinglés, fous d'elle. C'était le genre de femme à laquelle il est impossible de résister. Intelligente. Téméraire. Je n'ai jamais dit à personne ce que j'éprouvais, mais Eddie jurait qu'il voulait l'épouser. Il avait même acheté la bague. Il attendait de réussir le coup du siècle pour l'impressionner.

– Du genre l'Émeraude de Cléopâtre, déclara Hale.

Charlie opina.

– Exactement. Le monde entier avait les yeux braqués sur cette pierre. Tout le monde disait qu'elle était maudite, évidemment, mais pour être honnête, c'est ce qui rendait la chose encore plus excitante. Tout le monde avait essayé de la voler, mais personne n'avait réussi. Et nous trois... on n'a pas voulu écouter. On a monté le coup. Et on a attendu.

– Jusqu'à l'Expo universelle ? demanda Hale.

Charlie acquiesça.

— Elle n'avait jamais été présentée au public auparavant, alors j'ai commencé à travailler sur une copie. Eddie a travaillé en interne. Et elle... il s'interrompit, elle nous a tous roulés dans la farine.

— Qu'est-ce qui s'est passé ? dit Kat.

— Eddie avait prévu que je fasse l'échange entre la fausse et la vraie pierre, mais elle a dit que je devais la lui donner d'abord, et qu'elle se chargerait de porter la pierre à Eddie et de lui dire... que nous nous aimions tous les deux. Elle m'a dit qu'elle lui laisserait la pierre *en compensation* pour la peine que ça lui ferait. Et alors elle et moi serions libres...

Charlie contempla le feu.

— Tu avais raison, Katarina. Elle est vraiment forte.

— Alors tu as changé le plan, ajouta Kat en comprenant tout à coup, c'est là que tout a mal tourné ?

Charlie releva un sourcil.

— Non. Elle avait pensé à tout. Cela aurait dû marcher, mais un des gardes a tout fait foirer... Il a laissé une fenêtre ouverte et un oiseau est entré, a déclenché tous les capteurs lançant à nos trousses une armée de vigiles. Nous en sommes sortis vivants de justesse. C'est là que nous avons appris qu'elle avait prévu de garder la pierre et de s'enfuir loin de nous deux. Des frangins... elle a voulu diviser deux frères.

Charlie soupira.

— Et nous l'avons laissée faire. Alors ne te sens pas coupable, Katarina. Question pigeon, tu es en excellente compagnie.

Hale se rapprocha d'eux.

— Dans trois jours elle va vendre l'Émeraude de Cléo-pâtre, en la faisant passer pour celle de Marc Antoine.

— Elle va y arriver, dit Charlie en se levant pour ranimer le feu. C'était le plan d'origine.

— Mais on peut la récupérer, affirma Kat courageusement.

— Ça ne marchera pas.

Charlie avait l'expérience de quelqu'un qui a vécu et appris de ses échecs, et qui est bien décidé à ne pas se faire avoir à nouveau.

— Ça *va* marcher, insista Kat, ça marchera si tu es avec nous.

— Je ne peux pas refaire une pierre comme celle-là, pas en trois jours.

Il passa sa main pleine de taches de vernis sur son visage buriné.

— Impossible.

— Je n'ai pas besoin d'une pierre précieuse, Charlie. Il me faut juste une contrefaçon.

— Non, non, dit-il, et son regard se perdit sur la porte, comme s'il y avait quelqu'un qui la martelait de l'exté-rieur, comme le vent et la neige, pour essayer d'entrer.

— Si, Charlie.

Elle reprit sa main.

— Ça fait des jours et des jours que j'essaie de trouver quelqu'un qu'elle ne connaisse pas, mais en qui nous avons confiance, pour opérer sur place. Et puis j'ai réalisé que quelqu'un qu'elle connaît serait la personne *idéale*.

— Eddie. Il te faut Eddie.

Elle aurait donné n'importe quoi pour le convaincre qu'il avait tort, mais Eddie était le maître de l'arnaque, le meilleur. Malheureusement, il était de l'autre côté de la planète, et il avait balancé un genre de sortilège selon lequel *personne ne devait voler l'Émeraude de Cléopâtre*, alors Kat essaya de réfléchir à un plan B.

— Oncle Eddie ne peut pas. Non, oncle Eddie ne *voudra pas* m'aider, Charlie. Pas cette fois-ci. J'ai besoin de toi absolument.

— Je l'ai aimée, Katarina.

Le souvenir de son chagrin d'amour réapparut dans son regard. Il lui fallut un bon moment pour réaliser ce qu'il venait de dire.

— Et mon frère aussi.

Quand Charlie recouvra ses esprits, ses mains d'artistes tremblaient. Ses lèvres frémissaient. Kat regretta d'avoir fait resurgir toute cette noirceur dans cette demeure.

— Je suis désolée, Charlie.

Elle hésita pendant un moment, se pencha, l'embrassa sur la tête, puis se dirigea vers la porte.

— Je ne viendrai plus te déranger.

— Margaret Gray.

Kat s'arrêta et se retourna. Il passa la main dans ses cheveux d'un geste qu'elle avait vu son frère faire des milliers de fois.

— Elle s'appelle Margaret Gray, dit-il lentement. Et je ne veux plus jamais la revoir.

CHAPITRE 30

Lorsque le petit bateau à moteur retourna accoster le *W. W. Hale*, c'était déjà le crépuscule. Kat n'avait aucune envie de monter à bord du yacht, et cela en disait long sur son état d'esprit.

– Je pourrais rester assise ici tout simplement... une semaine ou deux, dit-elle à Hale.

– Pas cette fois-ci, dit-il, en l'attrapant par la main et en la hissant à bord comme un chaton effrayé.

Marcus les accueillit dans sa posture de majordome parfaitement rectiligne, avec du thé fumant et des scones tièdes sur un plateau.

Simon avait couvert les grandes fenêtres du bateau de graffitis, chiffres et formules, qu'il commentait de façon échevelée à l'attention de Gabrielle. Mais tout ne se passait pas tranquillement, car Gabrielle, équipée de talons hauts et d'un harnais d'escalade, n'avait pas l'air d'accord.

– Kat !

Simon, furieux, tourna le dos à Gabrielle et se dirigea vers Kat.

— Est-ce que tu peux dire à ta cousine ce qu'on risque quand on tombe de trente mètres de haut ?

Sur le pont supérieur, les Bagshaw discutaient à tue-tête à propos de vieux circuits électriques et de générateurs de secours, sans prendre la peine de retirer leurs casques, ce qui les obligeait à crier de plus en plus fort.

— Tu devrais demander à Kat, hurla Hamish.

— D'accord, répliqua son frère, si tu insistes je vais demander à Kat, encore faut-il qu'elle se pointe !

— Les gars, dit Gabrielle, mais personne ne l'entendit. Les gars ! répéta-t-elle. Kat est arrivée !

Hamish se retourna, complètement dans le gaz.

— Hé, Kat est ici !

Nick observa Kat et la façon dont Hale était penché contre le bastingage, les bras croisés. Son expression parfaitement impassible aurait pu faire de lui un très bon joueur de poker, mais ici, à Monte-Carlo, ça n'aurait pas suffi. Nick s'approcha de Kat et il lui demanda :

— Où étiez-vous passés ?

— Autriche, répondit Hale, mais Nick fit comme s'il n'avait pas entendu.

— Vous partez au beau milieu de la nuit, en laissant une liste de courses à faire et sans crier gare. Alors, où étiez-vous ? voulut savoir Nick.

— Autriche, dit Kat comme si la réponse de Hale était largement suffisante.

— Tu sais comment faire maintenant, Kitty ?

Hamish était complètement essoufflé d'avoir parcouru en courant tout le bateau pour venir à sa rencontre.

– Alors, quel est le scénario ? demanda Angus, en rejoignant son frère et en se frottant les mains.

Dans la pénombre, ses yeux avaient l'air de briller comme ceux d'un loup.

– On leur fait le coup de Hansel et Gretel ?

– Impossible, lui dit Hamish, nous n'avons en tout et pour tout que le lance-grenade.

– C'est vrai, opina Angus, comme si son frère venait de faire une remarque historique. .

– Il ne s'agit pas de ça les gars, dit Hale en faisant un petit signe de tête négatif.

Mais Nick se rapprocha encore davantage de Kat. Décidément, il ne voulait s'adresser qu'à elle seule.

– Qu'est-ce qu'il y avait en Autriche ?

Kat ne sentait plus le roulis du bateau, mais elle avait beaucoup de mal à tenir en équilibre.

– Notre plan de secours.

Elle passa devant eux.

– Il a refusé.

Elle espérait que cela suffirait, mais elle s'aperçut que le pont était jonché de câbles et de cordages ; il y avait également un boa en plumes d'autruche, deux robes du soir, trois smokings, une boîte avec une étiquette en français qui indiquait que le contenu était extrêmement explosif, et au moins six douzaines de roses à longues tiges (mais Kat n'avait pas encore décidé si l'on devrait s'en servir ou non).

– Kat, dit Simon tout doucement, qu'est-ce qui s'est passé ?

Kat regarda les visages qui l'entouraient, fatigués,

anxieux, attentifs, et elle réalisa qu'il était trop tard. Pour tout.

— J'ai cru que j'avais une solution, les gars. J'y ai vraiment cru. Mais l'oncle Eddie avait raison, on ne doit pas voler l'Émeraude de Cléopâtre. Je suis désolée, je vous ai tous embarqués en vous persuadant qu'on pourrait refaire le casse une deuxième fois.

N'importe quel voleur honnête sait que la vérité toute simple est plus puissante que le mensonge le plus sophistiqué. Kat le comprit alors, c'était aussi brutal que le choc des vagues sur la coque.

— Bon, alors trouvons un autre plan, dit Gabrielle.

— Qu'est-ce qu'on fait pour la banque ? demanda Simon. On a les frères Bagshaw...

— Nous apprécions ta confiance en nous, mon pote, répondit Hamish en lançant une bourrade à Simon, mais le coffre-fort se trouve à dix mètres en dessous de l'un des sites les plus chers du monde.

— Alors c'est non ? demanda Simon.

Hamish secoua la tête.

— C'est non.

— Est-ce qu'elle connaît le coup du Vent dans les saules ? demanda Gabrielle.

Angus regarda son frère.

— Si tu veux mon avis, le *saule pleureur*, c'est elle qui l'a planté.

— Le transport ? suggéra Hale.

— Ouais... heu... non.

Simon avait l'air complètement effrayé à cette seule idée.

— LaFont est resté au téléphone pratiquement toute la journée pour régler tous les détails du transport.

— Voiture blindée ? demanda Hale.

— Pour commencer, et apparemment, les gardes du palais vont également escorter le camion. Et il était peut-être aussi question d'un défilé.

Hale s'adressa à Kat.

— Que penses-tu des défilés ?

— Je les déteste !

— Tu pourrais parader dans un coupé sport, la taquina-t-il.

— Non, merci beaucoup.

— Et si je me déguisais en officiel, avec légion d'honneur et écharpe ? Gabrielle t'apprendrait à saluer, n'est-ce pas Gaby ?

Mais Gabrielle était beaucoup trop occupée à changer son sachet de glace, qui était devenu l'accessoire essentiel de sa garde-robe, puisqu'elle en avait besoin en permanence.

— Anne Boleyn ? suggéra Hamish.

— Non ! s'écrièrent Hale et Kat à l'unisson.

— Mordicus ? suggéra Gabrielle.

— Est-ce que LaFont vous paraît être le genre de type qui sort ses poubelles lui-même ? répliqua Angus en haussant les épaules.

— Et puis il n'a pas l'air d'être dans le coup. Au mieux, d'après moi, il est juste en train de se faire avoir, comme un bleu, comme tout le monde.

L'info fut reçue cinq sur cinq. Mais alors Gabrielle se redressa en disant :

— Oh ! Je sais !

Kat lui coupa aussitôt ses effets.

— Le palais princier est une forteresse, Gabrielle.

— Je sais, mais moi j'adore les palais.

— Celui-là n'est pas drôle du tout. Il y a une clôture de six mètres de haut et un bataillon de trente gardes qui se relaient vingt-quatre heures sur vingt-quatre. Et ils sont armés.

Même dans la pénombre, Kat vit que Gabrielle commençait à faire la moue.

— Ça ne serait pas un problème si tu me laissais escalader les rochers.

Hamish prit la parole.

— Attendez. Pourquoi est-ce qu'on le ferait cette semaine ? Laissons la vieille Maggie vendre son truc, et puis quand tout est bien cool, et que la pierre est au chaud dans sa nouvelle maison...

— Mais on n'a aucune idée de l'endroit où elle va aller, dit Hale. Elle pourrait se retrouver sous terre.

— Chez un collectionneur, ou un seigneur de guerre, ou un trafiquant d'armes, renchérit Gabrielle.

Simon secoua la tête.

— Il faudrait tenir compte de trop de variables...

— Et puis ce ne seront pas forcément des escrocs.

Visiblement, Kat les avait tous pris au dépourvu, car elle vit leurs regards se tourner vers elle comme si elle était folle. Seul Nick sembla la comprendre.

— Il n'y a pas que des sales types, leur dit-il. Si on fait le casse après la vente, c'est alors nous qui pourrions être les méchants.

— C'est notre seule opportunité, maintenant, déclara Kat. Il nous reste jusqu'à demain matin...

Hale secoua la tête.

— Pas le temps, pas d'accès.

– La vente au palais ?

– Ça ne colle pas, dit Simon. Même si on arrive à franchir les murs, dit-il en jetant un coup d'œil à Gabrielle, il n'y a pas de sortie.

Kat inspira profondément.

– D'accord. Il nous reste donc...

– Le casino, déclara Hale catégoriquement.

– Tu devrais en parler à quelqu'un, Kat.

La voix de Nick était froide, mais son regard chaleureux.

– Ma mère...

– Si tu veux retourner chez maman, voici la sortie, rétorqua Hale, mais Nick l'ignora. Il regarda Kat.

– Combien de caméras à l'étage du casino ?

– Soixante-deux, dit-elle, sans avoir besoin de réfléchir.

– Combien d'entrées ? continua Nick.

– Cinq pour le public, trois privées, et quatre secrètes.

– Les sorties ?

– Dix.

– Combien de temps pour sortir dans la rue ?

– Deux minute et demie.

– Les vigiles ?

– Au moins une vingtaine pour l'étage, et quatre pour l'émeraude.

Nick secoua la tête.

– Non. Même toi, tu ne peux pas braquer un casino, Kat.

– On ne va pas braquer *un* casino, bleusaille, contra Hale.

– Nous allons braquer *dans* un casino, corrigea Gabrielle d'un air ironique. Il y a une différence !

271

– Écoutez-moi, intervint Kat pour obtenir l'attention de chacun. Vous n'avez pas compris. On peut récupérer la pierre au casino. Mais on ne peut pas la faire sortir. Il nous faut un complice à l'intérieur, une taupe, un sous-marin, un cheval de Troie.

– Je croyais que c'était mon rôle ? dit Nick.

Hale réagit.

– On a besoin de quelqu'un à qui l'on puisse faire confiance.

– Ouais, répliqua Nick, parce que moi je suis venu jusqu'ici juste pour prendre ma revanche, c'est ça ?

Kat secoua la tête.

– Il nous faut quelqu'un à qui *elle* fasse confiance.

– Je peux y arriver, rétorqua Nick.

Kat pensa à Maggie – une femme en cavale, toute seule depuis presque cinquante ans.

– Je ne pense pas qu'elle puisse faire confiance à qui que ce soit, et depuis très longtemps.

– Mais tu viens de dire... murmura Nick.

– Je suis désolée, Nick, tu ne peux être le *garçon* infiltré.

Le sourire de Gabrielle atténua le coup.

– Je crois que ce que veut dire Kat, c'est que nous avons besoin d'un *homme* infiltré.

Elle se retourna vers sa cousine.

– En tout cas, c'est ce que j'ai cru comprendre, puisqu'elle ne nous a pas fait part de son plan.

– Ce n'est pas mon plan, Gabrielle, dit Kat, en tout cas ça ne l'est plus, puisque ça ne peut pas marcher avec la personne que nous avons.

Gabrielle croisa les bras.

– Laisse-nous en juger.

Kat sentit tous les regards converger vers elle. Il n'y avait plus qu'une solution : tout leur raconter.

– Simon, dit-elle en remontant ses manches, on va avoir besoin des plans de ce casino...

J –2 avant la vente
aux enchères

Sur le *W. W. Hale*

CHAPITRE 31

Kat n'avait pas l'intention de trop dormir, vraiment pas. Pourtant elle n'avait pas programmé l'alarme du réveil et elle n'avait pas demandé à Marcus de la réveiller.

Elle ne prit pas la peine d'ouvrir les volets pour que le soleil éclaire son lit et, même quand Gabrielle se leva, Kat resta couchée. Quand elle entendit les frères Bagshaw envoyer des balles de golf dans la mer, elle ne réagit pas. Elle se contenta de se tourner et de se retourner dans son lit en réfléchissant, comme si ses pensées étaient des vagues qui s'entrechoquaient en rythme.

On ne peut pas escroquer une personne honnête.

Alors comment Maggie a fait avec moi ?

– Debout !

– Hale, râla Kat et elle se retourna.

Elle l'entendit tirer les rideaux, et la lumière inonda la chambre.

– Laisse-moi dormir ! cria-t-elle, et elle rabattit les couvertures sur sa tête.

– Habille-toi.

Il jeta les couvertures par terre. Kat sentit ses cheveux se dresser à cause de l'énergie statique, mais Hale n'avait pas l'air d'humeur à plaisanter. Il fouilla la pièce pour lui trouver des vêtements.

– Et voilà, dit-il en balançant un vieux collant et un tee-shirt sale dans sa direction.

– Hale, je ne suis pas... Oh ! dit-elle, et elle frotta l'endroit où une chaussure venait de ricocher sur son épaule pour rebondir sur sa tête.

Mais Hale s'en fichait, parce que l'instant d'après, il lui lança une minijupe en cuir.

– C'est à Gabrielle, grogna-t-elle.

– Je m'en fous ! dit-il, et il se dirigea vers la porte. Je te donne dix minutes.

– Non, Hale. Je ne peux plus... penser...

Machinalement, Kat se mit à genoux. Derrière les fenêtres, la mer Méditerranée s'étendait à l'infini, mais Kat se sentait prise au piège dans cet endroit.

– J'avais l'habitude de voir des choses. Mais maintenant... je ne sais plus quoi faire, Hale. Vraiment pas. Je ne veux pas que quelqu'un soit pris ou blessé ou... je ne sais plus comment faire, dit-elle doucement.

– Tu as bien dit qu'on avait besoin d'une stratégie ?

– Oui.

– Alors on va y aller et trouver notre stratégie.

Il s'arrêta dans l'embrasure de la porte.

– Il ne te reste plus que neuf minutes.

Katarina Bishop n'était pas une fille qui aimait le jeu. Aussi, quand elle entra dans le casino cet après-midi-là, elle ne regarda même pas les tables, elle ne regarda par les machines à sous, et pourtant Kat ne pouvait pas s'empêcher de penser que les chances de gagner étaient très faibles et les enjeux très élevés et que sa chance avait intérêt à s'accrocher.

La salle avait l'air complètement différente à la lumière du jour, se dit-elle en s'appuyant sur la balustrade d'où l'on pouvait contempler tout le casino. Les touristes avaient quitté leurs bateaux de croisière et s'étaient attroupés autour des tables, en tongs et chemises à fleurs. Des ouvriers avec leurs ceintures à outils circulaient avec des échelles, et tous construisaient la scène en prévision du bal, tout en assurant le dispositif qui allait transformer le casino en forteresse. Enfin, presque tous.

— Comment ça se passe Simon ? demanda Kat à l'ouvrier qui se trouvait à l'autre bout de la salle, portant des lunettes et une fausse barbe, et qui semblait s'intéresser davantage au black-jack qu'à son travail.

— Le mec est en train de doubler ses dix, dit-il, et Kat se demanda s'il était réellement en train de lui parler.

— Simon ! l'appela Hale, en rejoignant la jeune fille. Je croyais que tu ne comptais plus les cartes.

— Compter n'est pas jouer, rectifia-t-il, et il continua de s'affairer, tandis que Kat saluait le garçon à son côté.

— Bonjour, dit-elle.

— Bonjour, répliqua Hale, tout en surveillant la grande salle. Alors, toute l'équipe est arrivée ?

— Hamish ? Kat parla dans son micro. Angus ? Vous êtes prêts ?

— Nous attendons le feu vert de Nicky, mon lapin, répondit Angus.

– Nick ? appela Kat sans regarder dans la salle.

– Je suis dans le salon de coiffure, répondit Nick. Maggie vient d'y entrer, alors la voie est libre, Kat. Oh, et Angus, ne m'appelle pas *ton lapin*. Et pas Nicky non plus.

– Gabrielle ? dit Kat en cherchant sa cousine dans la salle.

Elle ne la vit pas, mais elle entendit très nettement :

– C'est quand tu veux.

Il restait une question.

– Est-ce que tu es certain qu'on veut le faire, Hale ?

Il se tourna lentement vers elle et lui lança un clin d'œil.

– Essaye seulement de nous en empêcher !

– OK.

Kat pris une grande inspiration et regarda par-dessus les balustrades

Le plus célèbre et le plus luxueux casino du monde s'étendait devant elle et se préparait pour le plus beau gala du siècle, alors Kat haussa les épaules et se mit à rire en ordonnant à Hamish :

– Laisse-les s'envoler !

Personne ne sut comment cela s'était produit. Plus tard, les gens entendirent une rumeur, selon laquelle cinq cents colombes blanches avaient disparu d'un mariage qui devait avoir lieu sur la plage, et personne ne sut comment les oiseaux étaient sortis de leur cage pour pénétrer dans l'un des plus prestigieux casinos de la planète.

La première chose que tout le monde remarqua fut le bruit, un battement rythmé qui aurait pu se fondre dans le brouhaha de la roulette et les cris des touristes s'il n'avait pas continué à enfler, de plus en plus fort et de plus en plus proche. Et quand les premiers oiseaux entrèrent dans la salle principale du casino, ce fut comme le déferlement d'une inondation, un déjà-vu hitchcockien.

Il y eut des cris et des hurlements dans une douzaine de langues étrangères, des femmes se cachèrent sous les tables de black-jack. Les hommes faisaient front pour protéger leurs jetons. Les ouvriers apparurent avec des balais et des serpillières, comme s'ils pouvaient chasser les animaux par les portes, mais les oiseaux, comme tous les voleurs le savent, se débrouillent toujours pour retrouver la liberté, sans l'aide de personne.

Les colombes continuaient d'arriver et de remplir le casino, débarquant parmi les cartes et les jetons et, surtout, en décrivant des cercles dans les airs, comme des spirales de fumée qui cherchent un courant d'air pour sortir au plus vite.

Les sorties.

Le chaos s'étendit dans la foule, mais Kat restait parfaitement calme, et elle imprima toute la scène dans son esprit, tous ses détails ; un véritable plan d'architecte, au millimètre.

Elle vit les gardes et les caméras, les projecteurs et les conduits de chauffage central, les issues de secours et les petites failles dans le système de sécurité du casino, presque invisibles à l'œil nu, tout ceci pendant que cinq cents oiseaux emplissaient l'air, en quête d'une sortie, et Kat les laissa faire.

— Heu... les gars...

Nick paraissait inquiet, mais Kat ne pouvait pas vraiment lui répondre.

– On est vraiment occupés là, pour le moment, lui répondit Gabrielle.

Au centre de la pièce, la bannière annonçant le bal de Marc Antoine, bombardée de colombes, ne tenait – littéralement – plus qu'à un fil.

– Écoute, bouge-toi parce que Maggie arrive dans ta direction, s'écria Nick, et elle n'est pas seule. J'ai l'impression qu'un nouveau type s'est joint à sa petite troupe de gardes du corps.

Kat entendit tout cela, bien entendu, mais l'utilisation de cinq cents colombes pour repérer les failles dans la défense d'un casino est un procédé qui ne peut pas être renouvelé, aussi elle se concentra imperturbablement sur la salle, sans bouger d'un iota. C'est sa concentration qui faisait d'elle une arme fatale, comme l'oncle Félix l'avait souvent surnommée pour la taquiner. C'est aussi cette concentration qui la rendait stupide, lui avait dit l'oncle Eddie un jour pour la mettre en garde. Et, comme d'habitude, Kat finirait par admettre que l'oncle Eddie avait absolument raison.

Elle entendit Hale crier :

– Qui ?

– Je ne sais pas, lui dit Nick, je ne l'ai jamais vu avant. Bien habillé. Il a une canne, il est majestueux, et... plutôt âgé.

– Ha !

Kat entendit rire Hamish malgré le chaos.

– Si je me fiais à mon instinct, Nicky mon pote, je jurerais que tu es en train de décrire...

– L'oncle Eddie... murmura Kat.

Elle se figea en haut des escaliers, en regardant le petit groupe de personnes qui se tenaient en bas, les seules qui soient silencieuses au milieu du chaos, et qui la regardaient.

— ... Il est ici.

— Qu'est-ce que ça veut dire ? cria Pierre LaFont à un employé du casino, puis il se tourna vers Maggie. Madame, je vous donne ma parole que cela n'aura aucune incidence sur le bal du Marc Antoine.

— Oh, dit Maggie lentement en fixant la fille en haut des escaliers, j'espère bien que non.

Kat savait, sans avoir besoin de regarder, que Simon était planqué dans l'ombre d'une énorme plante verte. Hale avait disparu quelque part dans la salle. Gabrielle était partie. Les frères Bagshaw étaient avec elle et Nick n'avait aucune raison d'encombrer les portes du casino, mais tout cela n'avait aucune importance.

Maggie observa les oiseaux et les dégâts, et elle leva à nouveau les yeux vers Kat qui sentit à ce moment-là qu'ils étaient cuits ; il n'y avait aucune solution de repli. Elle commença à descendre les escaliers en marchant sur les plumes et les fientes d'oiseaux. Elle ne regarda pas son oncle, mais se concentra sur la femme à son côté.

— Bonjour, Maggie.

Maggie n'avait plus qu'à se tourner vers l'homme à côté d'elle pour lui dire :

— Monsieur LaFont, vous vous souvenez probablement de ma nièce ?

Le marchand d'art opina.

— Évidemment.

Il fit mine de lui baiser la main.

— Mademoiselle, je suis tellement désolé pour ce terrible... fiasco.

— Un accident stupide, je suppose, répondit Kat.

Maggie sourit

— Certainement. Et, chérie...

Maggie s'adressa à Kat pour ajouter quelque chose, mais l'oncle de Kat posa son bras sur les épaules de sa nièce en disant :

— Rebonjour, Katarina.

Il la serra fort dans ses bras et la détacha du groupe.

— On a des tas de choses à se raconter, laisse-moi te raccompagner à la maison.

*

* *

Kat avait oublié à quel point l'air frais pouvait être merveilleux quand elle le respira à nouveau.

Dehors, un vent glacé soufflait de la Méditerranée. Les colombes étaient perchées dans les arbres et faisaient leurs besoins sur les pare-brise de voitures valant un quart de million de dollars, mais Katarina Bishop n'y prêtait pas attention. Elle était bien plus préoccupée par le bras impérieux qui la tenait par la taille, la voix basse et sévère qui s'exprimait en Russe et qui parlait de timing, de malédiction, et de destinée.

— Eddie !

Quand elle entendit le cri, elle s'arrêta pour voir Simon et les frères Bagshaw se précipiter dehors.

— Ce n'est pas sa faute ! s'écria Angus.

– C'est à cause de nous, on a tout fait foirer, ajouta Hamish.

Mais Kat... Kat continuait de regarder l'homme en face d'elle, un homme qui portait un pardessus foncé et un petit bouc bien taillé. Elle examina attentivement ses yeux et ses mains.

– Vous devez...

– Les garçons, dit Kat en interrompant Simon, je crois qu'il est temps que vous rencontriez notre oncle Charlie.

CHAPITRE 32

Cet après-midi-là, le *W. W. Hale* se trouvait quelque part au large de la côte de Monaco ; il régnait sur le pont une ambiance spéciale qui se mélangeait au soleil et à l'air de la mer.. Kat respirait profondément et regardait au loin. Elle osait à peine appeler cela l'espérance.

— Et voilà le plan, entendit-elle Hale expliquer à l'homme qui était assis en face d'elle, calme et silencieux. Alors qu'en penses-tu, Charlie ? Est-ce que c'est quelque chose que tu peux faire ?

C'était *la* question, et toute l'équipe était assise immobile, tandis que le vieil homme regardait au loin ; il avait l'air de se demander quel angle d'attaque il allait choisir et quel rôle il allait jouer dans ce projet.

— Charlie ? l'interpella Gabrielle, et il se tourna vers elle. Qu'est-ce que tu en penses ?

— Bien !

Il frottait ses mains sur ses jambes pour les réchauffer.

– C'est bien, vraiment bien. Seulement, moi ça fait un moment que...

– Tu vas très bien t'en sortir, le rassura Hale, comme il savait le faire de façon persuasive.

Charlie leva les sourcils, conscient de la manipulation et lui dit :

– Ne me la fais pas, à moi.

Hale éclata de rire.

– Message bien reçu, répondit-il d'une voix douce, gentille et patiente. Vous n'aurez pas beaucoup de temps pour opérer. Mais ce ne sera pas un problème pour vous. Vous pouvez le faire. Une fois votre tâche accomplie...

– On pourra faire le casse et sortir de là vivants, conclut Gabrielle.

– Vous ressemblez tellement à...

– Hamish ! l'arrêta Kat juste avant qu'il donne un coup de coude dans les côtes du vieillard pour voir s'il était réel. Et si on faisait un peu de place pour laisser oncle Charlie respirer, dit-elle en le voyant se pencher vers les bastingage, car visiblement il préférait la compagnie de la mer à celle de ses congénères.

Les frères Bagshaw s'écartèrent lentement.

– Désolé. C'est juste que... c'est un tel honneur de vous rencontrer enfin, dit Angus.

– Ouais, renchérit Simon.

Kat savait pourquoi ils le regardaient ainsi. Facile à deviner. Charlie était à la fois un fantôme et une légende, et assis là, dans la chaleur du soleil, les cheveux bien coiffés et fraîchement rasé, il semblait avoir fait un très long voyage depuis sa montagne glacée.

– Tu as réussi à nettoyer le vernis ? lui demanda Kat.

– Quoi ?

Il sursauta comme si, durant quelques instants, il s'était mentalement échappé dans la quiétude de sa cabine.

– Tes mains, tu as réussi à les nettoyer !

Kat essaya de prendre une des mains de Charlie, mais il la mit dans sa poche.

– J'espère que vous savez ce que vous faites, les jeunes.

– T'inquiète, mon vieux Charlie.

Hamish tapota le vieil homme dans le dos.

– Tu n'es peut-être pas au courant, mais il y a quelques mois la môme Kitty a monté une équipe qui...

– Il ne s'agit pas de tableaux ! répliqua l'homme, et il désigna la plage au loin. Et ça n'est pas un musée !

Son regard était si sombre et le ton de sa voix si tranchant que, pendant une seconde, Kat aurait pu jurer qu'il s'agissait de l'oncle Eddie.

Puis ses mains commencèrent à trembler. Sa voix chevrota.

– Et cette femme n'a rien d'un pigeon.

– Je sais, dit Kat.

Mais son oncle continua :

– L'Émeraude de Cléopâtre est...

– Maudite, on le sait, dit Gabrielle en caressant légèrement son tibia abîmé.

– Non. Son oncle secoua la tête. Elle n'est pas maudite. Elle rend seulement les gens stupides.

Et voilà, réalisa Kat tout à coup. Toute la culpabilité et la honte qu'elle éprouvait lui tombaient dessus. Elle avait été stupide. Et dans son travail, personne ne pouvait se permettre de l'être.

– Pardonne-moi, Katarina.

Charlie passa une main sur son visage, comme pour palper le souvenir de la barbe qu'il avait laissée derrière lui dans la neige.

— C'est plus difficile que je le croyais, de voir l'histoire se répéter.

— Ça ne sera pas comme la dernière fois, Charlie, le rassura Hale. Maggie ou Margaret, peu importe son nom est... cette fois, c'est elle qui a du retard sur nous.

— Personne n'a jamais été en avance sur elle, dit-il face à la mer.

— Je sais, lui dit Kat, mais avec ton aide, on va pouvoir...

Charlie se leva, l'interrompant.

— Débrouillez-vous pour que deux hommes ne tombent pas amoureux de vous en même temps, les filles... c'est le genre de plan qui finit toujours mal.

Il se dirigea vers Marcus, le petit bateau à moteur, et le rivage.

Et Kat le regarda partir en lui confiant mentalement le poids de ses rêves et de ses espoirs.

Même après que Charlie les ait quittés, son fantôme continuait de marcher parmi eux. Comme une ombre sur le sol, comme le vent sur le pont ; la nuit arriva avec la promesse du lendemain, mais Kat ne parvint pas à dormir. Elle arpenta les couloirs, et s'arrêta net en voyant de la lumière derrière une porte entrebâillée. Elle s'approcha et aperçut Nick qui se balançait sur une chaise en rotin, en jouant avec un paquet de cartes.

Elle connaissait ce tour, car elle l'avait fait un million de fois ; et pourtant elle resta immobile et le regarda sortir tranquillement la reine de pique du paquet avec sa main droite, puis la tenir doucement sur sa paume avant de la tapoter une fois avec sa main gauche. Ce geste semblait dire que la carte était là. Un mouvement rapide, et la carte avait disparu.

— Tu es prêt ?

Nick ne sursauta pas en entendant le son de sa voix.

— Je le serai.

Il la regarda, et il fit réapparaître la carte sans se démonter.

— Et toi ?

— Plus que jamais.

Kat n'aimait toujours pas l'eau, mais elle s'habituait à la solitude de la mer. Elle se dirigea vers le pont, sentit que Nick la suivait, et savoura le silence qui les entourait.

Le yacht dérivait, moteurs à l'arrêt. Toute l'équipe semblait dormir profondément. Même les vagues paraissaient avoir décidé de se reposer. Tout le monde prenait des forces pour la longue journée qui se préparait.

— Alors, est-ce que tu vas me dire comment ça s'est passé ? demanda Nick. Comment, précisément, Katarina Bishop s'est fait avoir dans le vol de l'Émeraude de Cléopâtre ?

— Ça dépend, répliqua Kat. Est-ce que tu peux me dire honnêtement pourquoi tu m'as suivie jusqu'ici ?

Il sourit.

— Toi d'abord.

Kat inspira profondément et leva les yeux vers la lune. Elle avait l'air plus grosse et plus proche que d'habitude. C'était le genre de nuit où tout était presque possible.

Alors elle dit :

— Maggie, ou Constance, ou Margaret, peu importe son vrai nom, m'a dit que Romani l'avait envoyée. Elle a dit que cette pierre lui appartenait et...

— Tu l'as crue, termina Nick.

Il soupira longuement.

— Tu n'es pas obligée de réparer les injustices de la planète, tu sais, et je peux te mettre en contact avec des gens dont c'est le métier...

— Je ne sais pas pourquoi j'ai l'impression qu'Interpol ne se laisserait pas berner par ma fausse identité, dit Kat en repensant à son voyage à Paris et à sa visite dans les locaux d'Interpol l'automne précédent. Je ne pourrai pas leur faire le coup deux fois de suite.

— Tu n'es pas obligée de le faire, Kat.

— On me l'a souvent répété ces derniers temps.

— Il a raison.

— Je n'ai pas dit de qui il s'agissait.

— Tu n'as pas besoin.

Il regarda la mer

— Vous êtes bien tous les deux ensemble.

— On n'est pas ensemble, répliqua Kat sans réfléchir.

— Bien sûr que si. Mais vous ne le savez pas encore.

Il se pencha par-dessus la rambarde.

— Et moi, je suis juste un type qui a vraiment besoin d'amitié. Alors, tu peux me le dire, pourquoi avoir fait ça ?

Elle regarda son visage éclairé seulement par la lune, et réalisa qu'elle ne pouvait pas mentir, elle ne pouvait pas tricher. Elle trouva même du plaisir à avouer :

— Parce que je pouvais le faire.

Nick reprit son jeu de cartes, et machinalement ses mains se transformèrent en personnages indépendants, en petites divinités de la nature capables de déclencher la foudre à distance sur une plage lointaine.

— À ton tour maintenant, lui dit-elle. Je croyais que tu voulais faire partie des citoyens au-dessus de tout soupçon...

Ses doigts arrêtèrent leur ballet.

— Ouais, bon, quand on fréquente la star du cambriolage du siècle, on peut virer de bord, même si votre mère réussit à vous sauver de l'inculpation.

— Alors, sa mutation au quartier général... dit Kat.

— Pas vraiment une promotion, lui dit-il. Elle sera coincée là jusqu'à ce qu'elle arrive à piéger un gros bonnet et redémarre sa carrière. Et moi je serai l'enfant le plus décevant de l'année, jusqu'à ce que... eh bien... ça peut durer encore longtemps.

Il tapota le jeu de cartes et en fit un éventail qu'il ouvrait et fermait en un clin d'œil.

— Alors je suis venu ici. Et je me suis dit que quitte à recevoir un blâme, autant s'amuser un peu.

— C'est pas un jeu, lui dit Kat.

Il jeta un coup d'œil autour de lui, sur le bateau et les étoiles.

— T'as raison, c'est l'enfer ici !

— Non, Nick. C'est dangereux, c'est fou, et on peut le payer cher. J'ai fait souffrir des gens.

— Tu as changé Kat, constata Nick.

Elle fut tentée de protester, mais elle savait que c'était peine perdue. Nick alla s'installer sur une des chaises longues, et il se remit à jouer avec ses cartes.

– Je l'ai su à la seconde où je t'ai vue courir dans le sous-sol à Lyon, comme si...

– *Tu l'as vu à Lyon ?*

Kat sentit que la foudre était tombée. L'orage s'était rapproché, mais ce n'était pas le bruit du tonnerre. C'était Hale, qui se tenait dans l'embrasure de la porte.

– Réponds-moi, Kat. Est-ce que tu l'as vu à Lyon ?

– Oui. Mais juste une seconde. C'était...

– Pourquoi ne m'as-tu rien dit ?

Hale s'approcha d'elle, et elle remercia l'obscurité.

– Tout s'est passé tellement vite... ça n'a duré qu'une seconde !

Il y avait de la colère dans le regard de Hale, mais surtout une profonde souffrance.

– Tu aurais dû me le dire !

Nick éclata de rire.

– Je n'ai pas l'impression qu'elle ait de comptes à te rendre.

– Tu n'as rien pigé du tout, toi ! dit Hale en s'éloignant. Elle ne rend de comptes à personne.

Kat le suivit en protestant.

– Mais *je t'ai embrassé* !

Kat avait crié malgré elle, mais elle s'en fichait. Cela faisait des semaines que ces mots-là tambourinaient dans son cœur. Elle se sentit plus légère tout à coup, un truc de moins à porter.

– À New York, dans la limousine, je t'ai embrassé.

Hale s'arrêta net.

– Je me souviens.

– Je t'ai embrassé, et tu es parti. Ou je suis quelqu'un que tu n'as pas envie d'embrasser...

– Non. Il secoua la tête lentement. Ce n'est pas ça.

– Ou bien je suis *nulle* quand j'embrasse.

Kat ne pouvait pas s'empêcher d'énumérer toutes les raisons, toutes les possibilités, comme s'il s'agissait d'un braquage qu'il fallait monter de toutes pièces, en tout cas elle n'arrivait plus à stopper son cerveau en ébullition.

– Kat.

Il lui tendit la main, mais elle était trop sur la défensive. Elle se dégagea et le regarda.

– Je t'ai embrassé et tu es parti.

Un énorme bruit retentit, et Kat crut que c'était le battement de son cœur. Il était trop bruyant, pensa-t-elle, et elle se dit que Hale allait l'entendre, et il saurait à quel point il pouvait la blesser.

– Hale, dit-elle, mais le bruit était devenu de plus en plus fort. Hale, je…

– Ils arrivent !

Simon se tenait sur le seuil de la porte et il courut sur le pont à toutes jambes.

– Kelly !

Il était à bout de souffle.

– J'étais en train d'écouter les appels téléphoniques de LaFont ce soir. Il a appelé New York, il a appelé Kelly !

Il reprit sa respiration.

– Et l'Émeraude de Cléopâtre… va arriver pour le gala, maintenant !

J –1 avant la vente
aux enchères

Monte-Carlo
Monaco

CHAPITRE 33

Il y a beaucoup de choses qu'un bon voleur doit maîtriser. Savoir crocheter les serrures est essentiel. Rester calme dans n'importe quelle situation est indispensable. Mais parfois, le plus important c'est tout simplement d'observer... et d'attendre.

Kat observait d'en haut l'autoroute à deux voies qui, comme un serpent, faisait le tour de la ville en passant par les falaises et les tunnels, traversait le cœur de la cité, avec ses immeubles anciens et ses voitures de luxe. Elle pouvait voir les boutiques, les hôtels et, bien entendu, le casino.

Le service de sécurité mis en place était le plus impressionnant que Katarina Bishop ait jamais vu.

— Alors la Cléopâtre va vraiment arriver, dit-elle.

— Absolument, confirma Hale à son côté.

Le fait que la *vraie* Émeraude de Cléopâtre était déjà là, enfermée à l'abri dans un coffre au-dessous de la banque la mieux sécurisée de la Côte d'Azur, n'avait même pas besoin d'être mentionné.

Finalement, Marc Antoine était mort et Cléopâtre avait disparu ; et le gotha, l'élite de la planète s'apprêtait à venir à Monaco pour passer une nuit à danser et à boire en présence de pierres précieuses qui, si l'on en croyait la légende, les avaient damnés tous les deux.

Exceptionnellement, le casino de Monte-Carlo était fermé au grand public ce jour-là.

Kat observait tout cela à travers ses jumelles préférées au sommet du rocher de Monaco.

Les fleuristes arrivèrent et, à partir de 10 heures, ce fut le tour des livraisons de fruits, de pâtisseries et de viande. Le port, toujours très fréquenté en hiver, était bondé ; on voyait une infinité de petites taches blanches qui dansaient sur les vagues et s'étendaient très loin dans la Méditerranée.

Tous les regards, semblait-il, étaient tournés vers Monte-Carlo. Mais celui de Kat restait fixé sur les portes du casino.

– Quels changements ont-ils prévus, Simon ?

Marcus avait étalé une couverture sur l'herbe derrière un arbre et il servait un déjeuner froid composé de pain et de fromage.

Hale surveillait la route sinueuse.

– Je viendrai peut-être courir le Grand Prix l'année prochaine... Tu sais, je suis un excellent coureur automobile.

– Tu veux dire Marcus ? ironisa Gabrielle.

Hale sourit d'un air suffisant.

– Évidemment.

– Simon !

Kat hurla cette fois, et le garçon assis sur la couverture retira ses oreillettes.

— Quoi ? dit-il, la bouche pleine de baguette et de camembert.

— Qu'est-ce qu'ils ont changé ? demanda Hale à sa place.

— Oh...

Simon mastiqua et avala une énorme bouchée.

— Kelly fait venir ses propres vigiles pour son émeraude, ça multiplie par deux les effectifs que nous avions déjà ici.

Kat hocha la tête.

— OK.

— Et il a demandé que des caméras avec des capteurs thermiques soient braquées sur les vitrines.

Hale échangea un regard avec Kat, qui dissipa son inquiétude.

— Et sur l'estrade ? interrogea-t-elle.

— Tu veux parler de celle munie, sur tout le périmètre de sécurité, de capteurs sensibles à la moindre pression, entourant les vitrines blindées, solidement gardées dans toutes les directions ? demanda Hamish.

Kat le dévisagea.

— Oui, celle-là. Est-ce qu'elle pivote encore ?

— Oui.

Simon haussa les épaules.

— Je suppose que c'était bon pour Kelly. D'après ce que LaFont a dit toute la journée, il n'y a pas de raison de changer le sol de l'estrade, juste...

— De tout faire en double, compléta Hale.

— Hem !

299

Simon déglutit péniblement, cette fois pour une autre raison.

— Les vitrines, les caméras, les gardes... le truc est devenu... énorme !

Kat porta les jumelles à ses yeux. Lorsque les officiers des services de sécurité commencèrent à faire rouler deux énormes vitrines par l'entrée de service, Kat sut déjà exactement ce qu'elle était en train de regarder : le top du top en matière de protection contre les bris de glace, les balles et les tentatives de forage, avec une serrure en titane pur faite en Suisse par les plus grands spécialistes (et tout le monde sait que pour les serrures, on ne peut pas faire mieux que les Suisses).

Kat connaissait tout cela depuis plusieurs jours, bien sûr, mais le fait de savoir et de voir sont deux choses différentes, et c'est pourquoi elle regardait la scène qui se déroulait en contrebas comme si la réalité risquait d'être autre ; comme si l'image en trois dimensions pouvait montrer une faille, un contraste, une petite ouverture qui serait passée inaperçue sur les plans en noir et blanc.

— Kelly va venir personnellement avec l'émeraude ? demanda Kat ensuite en jetant un coup d'œil inquiet à Hale.

— Oh oui, répondit Simon. Et LaFont n'a pas l'air d'apprécier.

— Tu m'étonnes ! ajouta Gabrielle. Je déteste ce mec – Kelly –, j'aimerais bien être là quand il va comprendre qu'il s'est fait avoir.

— Une chose à la fois, Gaby, lui dit Hale. Un job à la fois.

Ils firent demi-tour et Hale prit Kat par le bras.

– Tu es sûre de vouloir le faire ? demanda-t-il.

– Si ça marche, tant mieux, répliqua Kat.

– Et si ça ne marche pas ?

Elle le regarda.

– Si ça ne marche pas, j'ai entendu dire que Monaco a les plus chouettes prisons d'Europe.

– C'est vrai ! dirent Hamish et Angus à l'unisson.

Sur ce, le sort en fut jeté.

CHAPITRE 34

Bien qu'exerçant une profession peu pratique, Pierre LaFont avait toujours été un homme très pragmatique. Les protocoles étaient fait pour être appliqués, disait-il toujours. On devait respecter les règlements, et les consignes n'étaient pas des suggestions. Les gardes avaient pour ordre de ne laisser entrer personne sans invitation. Voilà pourquoi il fut extrêmement contrarié lorsque la jeune femme chargée de l'événementiel lui expliqua que les lumières seraient orientées à soixante degrés au lieu de soixante-dix, que la violoniste était malade et qu'elle serait remplacée par un altiste.

Quand il examina le casino vingt minutes avant que le bal ne soit ouvert, tout paraissait parfait. Mais le diable est le maître du détail, comme il le répétait toujours. Et cette nuit-là... cette nuit-là, le diable était... Maggie.

— Les cordons devraient être reculés d'au moins soixante centimètres de l'estrade, dit-elle en surveillant la scène. Je veux qu'on enlève ce drapeau. Oui, ce drapeau !

Celui qui est à côté de la caméra, demanda-t-elle sans motif apparent à l'un des gardes.

Mais sa requête la plus insolite fut réservée à M. LaFont.

— Promettez- moi, Pierre, promettez-moi qu'il n'y aura *pas d'enfants*.

— Je peux vous assurer, madame, que cet événement n'est pas pour les enfants.

— J'insiste, Pierre. Si vous, ou quelqu'un de votre personnel, laissez entrer un enfant, c'est directement la porte.

Sa voix était toujours aussi forte et insolente, mais il y avait peut-être un peu d'hésitation, quelque chose qui sonnait faux derrière la grande arrogance de son accent du Texas. Pourtant, les gens faux font partie du territoire, pensa LaFont. La seule chose dont il devait se rappeler, c'était que la pierre de Marc Antoine – et sa commission – étaient tout à fait vraies.

Alors il fit retirer le drapeau et reculer les cordons de sécurité, puis il s'installa en haut des escaliers pour regarder le gala du siècle, tout à fait d'accord avec Maggie sur un point : ce n'était pas un endroit pour les enfants.

De toutes les soirées qui avaient eu lieu à Monte-Carlo, ce gala avait toutes les chances de devenir légendaire. On n'avait jamais fermé le casino pour un tel événement. Et la liste des invités était phénoménale, même pour Monaco.

La chose la plus impressionnante se trouvait à présent au centre du casino. Il y avait une petite estrade en rotation permanente, des vitrines sur des piédestaux, et tandis que la plate-forme tournait, les vitrines s'illuminaient en renvoyant la lumière lentement tout autour de la pièce.

Il y avait des cordons de velours rouge tout autour pour empêcher les gens de s'approcher trop près, et pourtant la foule s'agglutinait autour de la petite estrade et des vitrines vides.

Cela faisait deux mille ans que les gens étaient à la recherche de l'Émeraude de Marc Antoine. Et ce soir, toute l'élite de la planète était prête à payer une petite fortune, simplement pour voir l'endroit où elle se trouvait.

Enfin *presque* la totalité de l'élite.

— Désolée, mademoiselle mais votre nom n'est pas sur la liste.

— Il me connaît ! protesta vivement Kat en désignant M. LaFont. Pierre ! cria-t-elle. Ohé, monsieur LaFont !

— Il y a un problème ?

LaFont avait l'air de quelqu'un qui avait des choses beaucoup plus importantes à faire, et la jeune assistante le savait.

— Elle n'est pas sur la liste, intervint l'assistante, comme si tout était de la faute de Kat.

— Pierre, supplia Kat. C'est moi !

— Oui, oui, répondit Pierre en essayant de la calmer.

— Pierre, il faut que je voie ma tante Maggie.

Kat serrait contre elle un sac à provisions.

— Elle m'a envoyée lui chercher des trucs, et elle en a besoin.

— Oui je comprends, dit l'homme. Mais votre tante a donné des directives concernant les invités qui seront admis ce soir.

— Oh, Pierre ! éclata Kat de rire en lui tapant sur le bras. Ce que vous pouvez être drôle ; on a déjà dû vous le dire ?

— Non, mademoiselle. En fait, vous êtes la première.

Son regard restait fixé sur le hall d'entrée.

— Pierre ! protesta Kat.

Elle essaya de se libérer, mais les gardes l'empêchaient à nouveau de passer.

— Est-ce que vous avez déjà vu Maggie sans son eyeliner ? Non, n'est-ce pas ?

Elle agita une petite trousse à maquillage dans sa direction.

— Et je suis là pour m'assurer que cela n'arrivera jamais.

— Monsieur, dit le vigile, en essayant de retenir Kat par le bras. Monsieur, je…

— Laissez-la passer, ordonna Pierre, excédé par cette petite peste américaine. Allez-y, annonça-t-il à Kat.

Quand LaFont retourna s'occuper de la soirée, il se dit que ce serait une nuit absolument parfaite... Enfin… il se força à sourire, leva la main et cria au milieu de la foule :

— Monsieur Kelly, ravi de vous rencontrer !

… Presque parfaite.

Oliver Kelly, troisième du nom, serra la main de son rival d'un air distrait. D'un coup d'œil circulaire il inspecta le décor, le buffet et enfin les vitrines vides.

— J'imagine que tout est en place ? demanda-t-il sèchement.

— Oh, absolument. La seule chose qui nous manque, c'est la pierre que vous apporterez demain pour la vente aux enchères, plaisanta-t-il avec un rire nerveux.

— Non, répliqua Kelly froidement. Il n'en est pas question.

— Évidemment, répondit LaFont avec un sourire. Nous

sommes tellement ravis que vous et la pierre de Cléopâtre nous rejoignent pour la soirée. Je sais à quel point Mme Maggie attendait le moment de voir enfin ces deux pierres réunies.

Kelly le regarda comme s'il était un homme d'affaires subalterne, qui avait eu de la chance. Une seule fois.

— En effet.

— Excusez-moi monsieur LaFont, dit une voix grave, et il remarqua seulement à ce moment-là qu'Oliver Kelly était accompagné.

— Heureux de vous revoir, déclara le jeune homme qu'il avait rencontré dans les couloirs de l'hôtel, celui qui l'avait complimenté sur sa voiture.

— Je m'appelle Colin Knightsbury.

Il désigna la créature de rêve à ses côtés.

— Et voici Mlle Melanie McDonald. Nous sommes les assureurs de la pierre de Cléopâtre.

— Bonjour.

LaFont serra la main de Hale.

— Nous sommes enchantés que vous et mademoiselle puissiez…

— Désolé LaFont, l'interrompit Oliver Kelly. On se verra plus tard.

Il était sur le point de s'en aller, lorsque la jeune femme l'interpella :

— Attendez !

Elle enroula son bras autour du sien.

— Si cela ne vous dérange pas, je vous accompagne.

Kelly sourit.

— Tout le plaisir est pour moi.

Kat observait toute la scène au beau milieu du casino – la façon dont Gabrielle se tenait tout près de Kelly, l'assurance avec laquelle Hale avait parlé à LaFont. *Jusque-là tout va bien* se dit-elle pour se rassurer.

Elle se répéta qu'il s'agissait d'un plan très simple ; simple et basique, mais pas infaillible. Rien après tout ne pouvait être garanti à cent pour cent.

Tout en marchant au milieu de la foule, Kat s'attendait à éprouver cette montée d'adrénaline délicieuse dont sa cousine lui avait parlé, le frisson de plaisir, mais elle n'éprouvait rien, et ce n'était pas normal. Elle regarda ses doigts, ils ne tremblaient pas. Elle posa une main sur son estomac, mais il n'y avait aucun symptôme nerveux. Dans l'ensemble elle se sentait... normale. De l'autre côté de la salle, elle aperçut Hale qui quittait LaFont et se dirigeait tout droit dans sa direction.

– Qu'est-ce qui se passe ? lui demanda Hale.

Les bras de Kat étaient devenus minuscules comparés à la poigne solide de Hale qui la conduisit dans un coin sombre et tranquille de la salle.

– Rien, je t'assure.

– Ah oui ?

Il se rapprocha.

– Justement. C'est très sérieux, Kat.

– Je sais.

– On est en train de s'écarter du plan et on risque de ne pas pouvoir y revenir.

Elle le regarda.

– Dis-moi ce que tu as sur le cœur, Hale.

– D'accord tu t'es fait avoir... tu es donc humaine...

Il passa la main dans ses cheveux et fit un pas en arrière.

– Tu es aussi mortelle que nous.

Il lui sourit.

– Est-ce que c'est si grave ?

– Explique-toi.

– Je te répète ce que je t'ai dit à New York. On pourrait aller n'importe où. On pourrait faire ce qu'on veut.

Il replaça une mèche de cheveux derrière son oreille.

– On n'est pas *obligés* de le faire.

Kat avait très rarement le désir de remonter le temps. Après tout, le monde ne fonctionnait pas comme ça. On n'était pas au cinéma, on ne pouvait pas rejouer la scène deux fois. Mais lorsque Hale lui dit ces mots, elle savait qu'il avait raison, ils pouvaient encore prendre un bateau et s'en aller, accoster à Casablanca avant que l'on ne découvre leur disparition. Elle ne pourrait jamais effacer son erreur, mais rien ne l'obligeait à commettre la même à nouveau.

Pendant une seconde, elle vacilla, en luttant contre le désir frénétique de partir en courant.

Courir.

Retourner en pension, ou à Moscou, ou à Rio.

Courir.

Vers une cabane, dans la neige, tout en haut d'une montagne.

Et juste à ce moment-là, Kat comprit que cette histoire n'avait pas démarré par un gros mensonge, dans un petit restaurant, un soir de pluie, que la poursuite n'avait pas duré plusieurs semaines, mais des décennies. Et le job qui avait démarré à Montréal devait se terminer à Monte-Carlo.

– Hale…

Kat voulut le lui expliquer, mais la voix de Simon grésilla dans son oreille :

— Kat, Maggie arrive en position. Kat, tu me reçois ?

— Ne t'inquiète pas.

Elle regarda Hale.

— Je t'entends.

Et toutes les lumières s'éteignirent.

CHAPITRE 35

Dire que Katarina Bishop était à l'aise dans le noir n'était pas tout à fait exact. Elle n'avait pas de sonar comme les chauves-souris. Ses yeux ne traitaient pas différemment la lumière et l'obscurité comme les chats. Mais si Hale, lui, était parfaitement à l'aise dans son smoking à six mille dollars au milieu des plateaux de caviar et des coupes de champagne, Kat, de son côté était tout à fait dans son élément dans la pénombre de la salle de bal, entourée des bijoux, des portefeuilles et de l'argent des autres.

Pourtant, lorsque les projecteurs se rallumèrent, des faisceaux lumineux balayèrent toute la pièce, se croisant au-dessus des vitrines vides qui attendaient sur l'estrade, et Kat, comme tous les gens présents, voulait savoir ce qui allait arriver.

— Kat ? murmura Simon dans son oreille.

— C'est le moment.

Personne ne la vit dire cela. Le Tout-Monaco avait les yeux braqués sur les deux vitrines et sur l'homme qui se tenait au milieu, un micro à la main, dominant l'assemblée, comptant mentalement son argent.

Pierre LaFont s'adressa à la foule :

— Mesdames et messieurs, ladies and gentlemen, je vous remercie d'être venus célébrer avec nous le plus grand événement culturel de ce début du XXIe siècle.

Des applaudissements polis emplirent la salle.

— Je remercie M. Oliver Kelly qui, très généreusement, a accepté de partager avec nous...

Il s'arrêta un instant pour appuyer son effet dramatique, et tendit le bras vers la vitrine à sa droite en criant :

— L'Émeraude de Cléopâtre !

Pas d'applaudissements, seul un petit cliquetis régulier mais si ténu qu'on n'aurait pas pu l'entendre à un autre moment ou dans un autre endroit. L'estrade cessa sa rotation et la vitrine commença à bouger, tandis que les systèmes hydrauliques faisaient monter délicatement la pierre verte cachée dans les coffres souterrains du casino. Une sorte de murmure s'éleva dans la foule quand elle arriva à la surface. Puis le silence s'installa à nouveau. Et la foule demeura là... à attendre.

Les gens sont prévisibles, comme le savent bien tous les voleurs. Ils ont les mêmes besoins. Les mêmes attentes. Chaque personne présente voulait toucher à l'Histoire ; ressentir la célébrité. Toucher du doigt l'amour, le tenir dans les paumes de ses mains.

Et voilà pourquoi ils restaient debout, silencieux, attentifs, tenus en haleine... jusqu'à ce que Pierre LaFont dise :

— Et maintenant, mesdames et messieurs, voici, pour la première fois depuis deux mille ans, l'Émeraude de Marc Antoine.

Il y eut à nouveau ce bruit mécanique, quelque chose se soulevait à l'intérieur d'une vitrine blindée. Mais personne n'arrivait à croire ce qu'il voyait jusqu'au moment où les lumières irradièrent la seconde pierre, l'estrade commença à tourner, et les reflets de la pierre de Cléopâtre et celle de Marc Antoine firent le tour de la salle de bal.

S'il n'y avait pas eu le nom des pierres sur leurs vitrines respectives, la foule aurait pu croire qu'il s'agissait d'un mirage, ou d'un effet spécial de cinéma. Elles étaient identiques. Parfaites. D'une beauté et d'une valeur inestimables.

Elles sont ici. Elles sont vraies. Et elles sont réunies, semblait penser la salle tout entière.

Excepté Kat. Qui se tenait immobile au centre de la foule et se disait *Charlie est un génie*.

Tout en tournoyant, les émeraudes semblaient absorber la lumière, et projetaient un kaléidoscope irisé de vert dans le casino, mais ce n'était rien en comparaison du regard de Hale braqué sur celui de Kat.

Elle se sentait comme n'importe quelle fille de son âge dans la féerie du bal, elle était redevenue une personne qui avait besoin de croire que c'était vrai, une histoire d'amour qui durait depuis deux mille ans. Un amour qui avait survécu à la géographie, à l'histoire des peuples, et au temps. Elle voulait y croire. En regardant Hale, elle vit qu'il voulait y croire aussi.

LaFont continuait son numéro sur la scène, la foule le fixait toujours. Ce moment était l'aboutissement de plusieurs millénaires, mais c'était également un moment basé sur un mensonge.

Et même si elle avait envie d'y croire, Kat savait que

l'histoire repose souvent sur des faux documents et des fausses preuves.

— Simon ? demanda Kat.

— On est bon, l'informa-t-il dans son oreillette.

— Hamish, vous en êtes où avec Angus ?

— On est en position, princesse, fut la réponse d'Angus.

— Gabrielle, dit Kat, et Kelly ?

— Sous contrôle, murmura sa cousine.

À ce moment-là, Nick s'approcha d'elle et lui demanda :

— Kat, es-tu certaine que tu veux le faire ?

Mais dans la foule, son regard à elle cherchait Hale.

— Maintenant, dit-elle tandis que, trois mètres plus loin, l'émeraude brillait dans sa vitrine. Elle lui sembla plus petite que dans son souvenir.

— Il est temps d'en finir. Maintenant.

CHAPITRE 36

L'orchestre jouait encore. La nourriture était encore abondante. Mais il y avait déjà une autre atmosphère dans la salle lorsque Nick s'éloigna de Kat au milieu de la foule. Personne ne remarqua le jeune homme avec un smoking beaucoup trop grand qui avançait, à contresens des gens qui se pressaient autour des pierres vertes scintillant dans la lumière des projecteurs.

– Laisse-la tranquille.

La voix de Hale était grave et puissante et ne collait pas du tout avec le déguisement qu'il portait.

– Je pense qu'elle fait ce qu'elle veut, rétorqua Nick, essayant d'éviter une scène.

– Et moi, je veux que tu lui fiches la paix, répéta Hale, obligeant Nick à sortir dans le couloir, l'éloignant de la foule.

– Si tu ne m'aimes pas, tu n'as qu'à me le dire, dit Nick.

– Non, je n'ai pas à dire quoi que ce soit.

Il y eut des bruits de pas derrière eux dans le couloir, mais aucun des garçons ne se retourna pour regarder.

— C'est une grande fille, affirma Nick.

— Elle mesure un mètre cinquante-huit.

— Je ne parlais pas...

— Tu n'as pas l'air de comprendre.

Hale se rapprocha.

— Tire-toi et ne l'approche pas !

Avant d'avoir achevé sa phrase, Hale avait déjà balancé son poing dans la mâchoire de Nick, et avait envoyé au tapis le garçon plus petit que lui dans le couloir *vide* où résonnait le bruit de la bagarre.

Non. Ils réalisèrent que le couloir n'était pas *complètement vide*.

L'instant d'après, Pierre LaFont leur fonçait dessus, avec deux gardes à ses côtés.

— Stop ! cria LaFont, stop !... Monsieur Knightsbury ?

LaFont écarquilla les yeux en séparant les deux garçons.

— Ah ! ricana Nick avec haine. Il se releva, repoussant à LaFont pour prendre Hale à la gorge.

— Ne vous mêlez pas de ça ! hurla Hale à LaFont.

— Du calme vous deux ! dit LaFont, en pensant à l'événement de l'année qui se déroulait de l'autre côté des portes ouvertes. Par ici !

LaFont se dirigea vers les gardes qui attrapèrent Nick et Hale et les conduisirent dans une petite salle réservée normalement aux jeux de cartes pour les gros joueurs et les soirées VIP.

Hale se dirigea de l'autre côté de la pièce, tandis que Nick faisait les cent pas près de la porte.

— Vous !

LaFont s'essuya le front.

– Je suis profondément choqué, monsieur Knightsbury. Où est M. Kelly ? demanda-t-il à l'un des gardes. Allez le chercher et amenez-le ici.

– Oh, dit Hale lentement, il doit probablement être occupé.

– Eh bien, souffla LaFont, je vous préviens, je ferai un rapport à vos supérieurs.

Hale remua la main comme si elle lui faisait encore mal. Nick ricana à nouveau :

– Ouais, allez-y !

Hale fit un saut de côté, mais les gardes le ceinturèrent pour l'empêcher de se ruer sur Nick.

– LaFont ! lui cria une voix de femme en entrant, et Hale s'immobilisa.

Les yeux de Maggie étaient fixés sur l'homme qui se trouvait à l'entrée de la salle.

– Où avez-vous...

Et elle s'arrêta net. Elle se retourna doucement, observa la lèvre fendue de Nick, les gardes qui essayaient de contenir Hale, qui se débattait comme un beau diable.

Elle s'exclama d'un air entendu :

– Allons bon ! Qu'est-ce que c'est que ce foutoir ?

LaFont se précipita vers elle.

– Oh, madame, vous pouvez repartir. Comme vous le voyez, notre service de sécurité a les choses bien en main.

– Laissez-moi en juger, Pierre.

– Bien entendu mais comme vous le voyez, M. Knightsbury a eu une altercation avec ce jeune homme à propos de...

LaFont s'interrompit.

— Pourquoi vous battiez-vous ? demanda-t-il.

— Oh.

Nick essuya le sang qui coulait de sa bouche sur sa manche.

— À cause d'une fille.

— Vous !

Maggie pointa son doigt sur l'un des gardes.

— Jetez-les tous les deux dehors. Maintenant !

Le visage de Maggie resta parfaitement impassible même quand le jeune homme faillit la renverser en voulant empoigner Hale. Les gardes bondirent sur lui et réussirent à les séparer tous les deux, la salle retrouva son calme.

— Maintenant ! siffla Maggie.

— Allez me chercher M. Kelly, hurla LaFont à l'un des vigiles qui accompagnait Maggie, et conduisez ces jeunes gens dehors !

Il fit signe à un autre garde en désignant Nick, qui fit un saut de côté lorsque le garde essaya de l'attraper.

— Tu peux la garder, lança Nick en essuyant sa bouche à nouveau avec sa manche. Il regarda les taches de sang et referma la porte derrière lui. Dans le silence qui s'ensuivit, personne ne semblait savoir quoi faire.

LaFont se dirigea vers Maggie, posa sa main sur son épaule comme si elle avait besoin de réconfort et de protection dans un moment de grande détresse. Mais lorsque Maggie dévisagea Hale, il y avait dans ses yeux un mélange de peur, d'inquiétude, d'indignation et de stupeur.

— Jetez-moi celui-là aussi, Pierre. J'ai vu assez de rixes dans les bars dans ma vie pour repérer le type qui va ruiner la soirée.

Elle souleva sa robe longue et tourna les talons, mais Hale l'interpella :

– Ravi aussi de vous revoir... *Margaret.*

Hale était appuyé contre une table de poker et LaFont réagit aussitôt en criant :

– Qu'est-ce que vous racontez monsieur Knightsbury ?, avec l'air hagard d'un homme au bord du précipice. Et qu'avez-vous à dire pour votre défense ?

Maggie s'arrêta, glacée, se retourna et répliqua sèchement :

– Pierre, montrez-lui la porte. Immédiatement.

CHAPITRE 37

La chance est une chose étrange dans la vie d'un voleur et d'un escroc professionnel.

Qu'est-ce qui empêche la cible de compter la caisse, ou les gardes de lever le nez au mauvais moment ?

Kat avait appris très jeune que la chance est réservée à l'amateur, au paresseux, à ceux qui ne sont pas préparés ou qui n'ont aucun talent ; et pourtant, elle savait que, comme pour la plupart des choses, on ne regrette vraiment la chance que lorsqu'elle est partie pour de bon.

Kat pensait à cela en regardant Nick marcher vers elle avec un garde derrière lui. Son visage ruisselait de sang et ses vêtements étaient déchirés. Il se pencha à l'oreille de Kat, prit sa main dans la sienne un instant, et lui souffla, avant de disparaître :

— C'est mort.

Ce n'était peut-être pas la malédiction, mais ça y ressemblait fortement. Kat se retrouva toute seule au centre de la salle de bal. Elle se retourna et vit Hale à côté de

LaFont, en piteux état et tout contrit. Les Bagshaw s'étaient évanouis dans la foule comme de la fumée. La voix de Simon fut tout ce qui restait de tangible.

– Que se passe-t-il ? D'après les conversations radio, les types de la sécurité sont à la recherche de quelqu'un.

– Monsieur Kelly ! appela un des gardes.

Kat les vit montrer du doigt le propriétaire de la Cléopâtre, et la jeune femme élégante qui se tenait à côté de lui.

– Monsieur Kelly ! l'appela l'homme à nouveau.

Kat regarda Gabrielle tournoyer dans les escaliers et, en un éclair, ce fut l'incident. Son talon venait de s'accrocher dans sa robe longue, elle chancela, fit une culbute contre la balustrade et Oliver Kelly le troisième, impuissant, vit la plus belle fille de la soirée chuter dans le vide.

Gabrielle hurla, et la foule suffoqua en la voyant se retenir à l'un des projecteurs qui étaient accrochés aux vitrines en contrebas.

La lumière tournoyait à travers la pièce tandis qu'elle essayait de se rattraper, mais il était trop tard. La gravité était trop forte, et le projecteur se brisa dans la foulée.

Le cri qui suivit était plus fort et plus aigu que celui qui avait empli la pièce quelques secondes auparavant. La jeune fille chuta d'environ trente centimètres et se rattrapa à un câble qui reliait les lumières entre elles. Il était trop lâche, quelqu'un en ferait la remarque plus tard. Un ouvrier avait dû saloper le travail. C'était donc un manque de chance que la fille s'y raccroche, car l'extrémité du câble se brisa, elle se retrouva en train de se balancer au-dessus de la salle, comme la Jane de Tarzan dans la jungle, accrochée à une liane.

Elle portait une robe longue et rose, qui se balançait comme un ruban, pendant qu'elle criait et s'accrochait désespérément au câble.

— Aidez-la ! s'écria Oliver Kelly.

Les gens les plus proches de la balustrade étaient aux premières loges pour voir les Bagshaw se précipiter vers elle. L'un d'eux essaya de l'attraper en défonçant les guirlandes vertes accrochées à la rambarde, ce qui les fit tomber sur les caméras de surveillance qui se trouvaient juste en dessous, mais c'était déjà trop tard.

— Ah ! hurla-t-elle à nouveau.

Le câble trembla, instable sous son poids ; les lumières vacillèrent. Une fois. Deux fois. Des étincelles jaillirent et la salle de bal fut plongée dans le noir.

— Vous, là-bas ! appela-t-on les deux gardes stationnés près des émeraudes. Venez nous aider ! cria l'homme pendant qu'au-dessus de lui les mains de la jeune femme glissaient. Elle donnait des coups de pieds comme si elle essayait de se mettre debout en apesanteur. Un de ses escarpins glissa de son pied délicat. Il tomba en tournoyant et atterrit sur la plate-forme rotative sensible à la moindre pression derrière les cordons de velours rouge, ce qui déclencha les sirènes qui hurlèrent à tout-va.

Une fois encore, la fille faillit tomber dans le vide en relâchant sa prise, et la foule retint son souffle. Du moins, c'est ce que pensait Kat juste avant d'entendre la voix de Simon lui dire :

— Kat, les caméras sont bloquées. La voie est libre, tu peux y aller, maintenant.

Kat eut l'impression à un moment d'avoir perdu les sensations dans ses doigts. Elle ouvrit les mains et vit la clé que Nick lui avait passée quelques secondes avant le début du chaos. L'impression était intacte sur sa paume, et elle sut que c'était maintenant ou jamais.

Elle n'osait pas regarder en haut. Elle ne courait pas. Elle ne marchait pas. Elle se déplaçait comme le font les voleurs. Comme si le vent l'emportait de l'autre côté des cordes. Elle était protégée par l'obscurité, au milieu du bruit des sirènes et des hurlements de deux cents personnes qui observaient, attendant de voir si la fille allait tomber.

Kat empêcha sa main de trembler. Elle se concentra sur chacune des gouttes de sang froid qui coulaient dans ses veines en s'agenouillant à côté de la vitrine, la clé à la main.

– Elle est en train de glisser ! Attrapez-la ! cria quelqu'un.

Mais Kat se concentrait sur les vitrines. Son regard allait de la pierre de Marc Antoine à celle de Cléopâtre, en étudiant les petites pancartes portant leur nom et qui à l'œil nu indiquaient que les pierres n'étaient pas simplement des répliques identiques l'une de l'autre. Puis, tandis que le socle continuait de tourner, Kat inspira profondément et se prépara à les attraper.

– Certainement pas ! gronda une voix quelques instants plus tard, et Kat sentit quelqu'un attraper son poignet et la projeter sur le parquet.

Ses genoux lui faisaient mal, et sa tête tournait dans le hurlement des sirènes ; mais ce n'était rien en comparaison de la rage qu'elle ressentit quand Maggie se pencha vers elle et lui souffla :

— C'est moi qui ai inventé le coup de Cendrillon, mon petit.

Maggie avait une voix de jeune femme ; elle était extrêmement puissante quand elle tira Kat par les pieds pour lui arracher la clé des mains. Elle avait l'air presque offusquée, quand elle cracha :

— Tu pensais vraiment que ça marcherait ? Que je te laisserais prendre mon émeraude et l'emporter ?

C'était une excellente question, remarqua Kat tremblante en regardant la silhouette qui se tenait derrière Maggie, dans la pénombre.

Elle étudia la posture, sentit la présence, et avant même que la grosse voix lui dise « Bonjour, Katarina », elle sut que Charlie, le faussaire, son oncle Charlie, la stratégie de sortie, était loin, très loin de Monte Carlo.

— Salut, oncle Eddie.

Il n'y avait aucune panique dans sa voix. Par contre, elle avait beaucoup de mal à cacher sa tristesse.

— Qu'est-ce qui t'amène en ville ?

Son oncle se rapprocha, et comme elle le regardait sourire, ses yeux se remplirent de honte et de déception. Kat réalisa que non seulement elle venait de se faire prendre, mais en plus, elle venait de se faire avoir encore une fois.

— Mon frère, Charles, a eu la gentillesse de me prévenir que tu étais venu le voir. Il est désolé de ne pas avoir pu venir à Monaco lui-même, mais il ne sort plus aussi souvent qu'auparavant. Alors j'ai pensé que je pouvais... le remplacer.

Kat était dans la confusion la plus totale. Choc ou colère, épuisement ou sentiment de trahison ? Elle se contenta de regarder son oncle Eddie.

– C'était toi. Il y a eu un moment sur le bateau où j'ai pensé...

Elle se tut, la malédiction l'avait finalement rattrapée, et c'était tout aussi bien. Elle était beaucoup trop fatiguée de courir. Sa voix était douce, éteinte, quand elle murmura :

– C'était toi, depuis le début.

Kat se dit que normalement elle aurait dû avoir peur, éprouver de la honte ou de la colère. Mais les lumières de secours se mirent à clignoter.

– Les émeraudes! cria quelqu'un, et Kat sentit que l'attention de la salle basculait et qu'elle serait bientôt le centre d'intérêt – une gamine plus petite que la moyenne avec l'infâme Maggie, debout près des vitrines, et le bruit des sirènes tout autour.

Une catastrophe, c'était une chose, semblait dire la rumeur dans la salle, mais un scandale c'était une autre affaire.

– Madame Maggie ! s'écria LaFont en traversant la pièce à toute allure tandis qu'Hamish et Angus aidaient la pâle Gabrielle à descendre sur une échelle.

– Madame, vous allez bien ?

LaFont regardait Maggie et la pierre de Marc Antoine.

– Qu'est-ce que cela veut dire ? demanda-t-il à Kat. Personne n'a le droit d'être aussi près des émeraudes ! Il hurla quelque chose aux gardes qui reprirent leur position.

– Mademoiselle, que faites-vous ici ? siffla LaFont à

Kat, et les mots semblaient se répercuter dans toute la pièce, où chacun semblait se poser la même question.

– Tante Maggie...

Kat défia la femme. Son sourire était menaçant.

– Qu'est-ce que je dois répondre ?

Kat sentait le regard de la foule sur eux, et la pression était insoutenable. Quelqu'un arrêta les sirènes et les lumières se rallumèrent. Kat observa la foule et elle éprouva quelque chose qu'aucun voleur n'est supposé éprouver. Mais heureusement, elle n'était pas là toute seule.

– Ma nièce était... commença Maggie lentement. Elle était...

Kat ramassa la chaussure en satin sur l'estrade, la serra contre son cœur, et dit à LaFont :

– Cette fille va avoir besoin de sa chaussure.

CHAPITRE 38

Katarina Bishop se sentait rarement trop petite. Elle n'était pas grande, elle ne pouvait le nier. C'était un fait scientifique. Mais comme il n'y avait pas de miroir dans la cuisine de l'oncle Eddie, pas de mètre, pas de balance, rien qui la renvoie à sa taille, elle, la plus petite, la plus légère et la plus jeune de la famille en oubliait à quel point elle n'entrait pas dans le moule.

Mais à côté de Maggie dans l'ascenseur privé, vingt minutes plus tard, en direction de la suite présidentielle, Kat se sentait minuscule. Aussi insignifiante que de la poussière.

Quand les portes s'ouvrirent et qu'elle entendit l'oncle Eddie déclarer « Bienvenue, Katarina », elle eut l'impression que le vent venait de souffler sur sa petite personne et qu'il ne restait plus rien du tout.

Kat ne voulait pas y pénétrer mais elle n'avait pas eu le choix. Elle aurait échangé, ou volé n'importe quoi pour s'enfuir, mais elle avait quarante étages à monter, et vu que les portes de l'ascenseur étaient fermées, même sans la malédiction, Kat savait que le trajet serait long.

– Quoi ? Kat regarda autour d'elle. Vous n'allez pas m'enfermer dans une tour ?

Maggie éclata de rire.

– Ça fera l'affaire.

Deux hommes baraqués en costume sombre se tenaient de chaque côté des portes de l'ascenseur. Un autre montait la garde en face. Mais seul l'homme qui l'attendait dans la suite comptait.

Là, dans la chambre bien éclairée, Kat le regarda de près.

– Je ne m'attendais pas à *te* voir de sitôt, lui dit-elle.

Il n'avait pas le même sourire que son frère. Rien à voir avec Charlie, quand il dit en la regardant :

– Je sais.

– Tu sais ce qu'elle a fait, n'est-ce pas ? lui demanda Kat.

Eddie ne répondit pas, mais le regard qu'il lança à Maggie était éloquent. Kat eut un petit rire triste.

– Je croyais que les pseudonymes chlovèques ne devaient être utilisés que dans des circonstances exceptionnelles, je croyais qu'ils étaient *sacrés*. Elle a utilisé un pseudonyme pour s'amuser et à son profit, oncle Eddie, cria Kat. Mais peut-être que tu t'en fous... peut-être qu'il y a des exceptions pour les anciennes copines.

– Katarina.

C'était un avertissement.

Maggie se tourna vers les gardes.

– Dehors !

Et les molosses s'exécutèrent sans broncher.

– Mais ne vous éloignez pas trop, ajouta Maggie comme si Kat était dangereuse, ce qui fit rire l'intéressée.

Parce qu'à ce moment précis elle était dangereuse.

– Elle a utilisé le nom de Romani. Tu le savais ?

Kat aurait donné n'importe quoi pour que sa voix ne tremble pas, pour ne pas pleurer. Mais c'était trop tard. On ne pouvait pas revenir en arrière.

Elle fixa son oncle dans les yeux, le regarda dévisager Maggie. Et dans ce regard elle vit la fierté, la douleur, l'amour tout court. Autrefois, l'oncle Eddie était tombé amoureux. Il avait été un être humain comme les autres. Et il avait eu beau faire tous les coups, toutes les arnaques, Maggie était la seule personne pour laquelle il avait échoué.

– Bien sûr que tu savais, murmura Kat.

Elle ne pouvait plus regarder son oncle.

– Puisque tu es au courant de tout.

Elle appuya sur le bouton pour rappeler l'ascenseur et s'en aller, mais Maggie se mit en travers et déclara :

– Certainement pas !

– Oh, merci pour l'hospitalité, Maggie, désolée mais j'ai des trucs à faire.

Kat observa l'oncle Eddie.

– Des gens à voir.

– Ton équipe va bien, dit Maggie. Pierre n'a même jamais perdu les clés. Ce crétin. Alors ne t'en fais pas, ma chérie, tu seras tout à fait en sécurité ici ce soir.

Kat éclata de rire.

– Je ne reste pas.

Elle regarda les fenêtres, les portes verrouillées, et serra les poings de rage en criant :

– Poussez-vous !

Mais Maggie se contenta de rire en se moquant d'elle comme si elle était un petit animal « adorable ».

– Tu as raison en ce qui la concerne, dit Maggie en s'adressant à l'oncle Eddie. Elle est coriace !

Elle interpella Kat.

– Mais je ne peux pas te laisser partir.

Elle se dirigea vers la fenêtre, tira les rideaux, et fixa les lumières du palais qui brillaient sur la colline au loin.

– Demain matin, mon émeraude sera authentifiée publiquement, puis vendue au plus offrant.

Maggie se retourna lentement.

– Jusque-là, Kat, ma chère, considère que tu es mon invitée.

*
* *

Ils décidèrent peut-être que c'était plus approprié – ou plus gentil – que l'oncle Eddie la conduise dans la petite chambre et ferme la porte à clé. Kat ne parla pas de Charlie. Elle ne parla pas de la trahison. Aucun des deux ne s'excusa. Ce n'était pas le moment, visiblement, et au lieu de cela, Eddie s'arrêta dans le couloir et la regarda :

– Alors, c'est terminé ?

Il y avait une finalité dans ses mots, mais aussi une question. Un défi. Une provocation.

Kat sentit le sang revenir dans ses joues pâles et elle lui répondit :

– C'est fait.

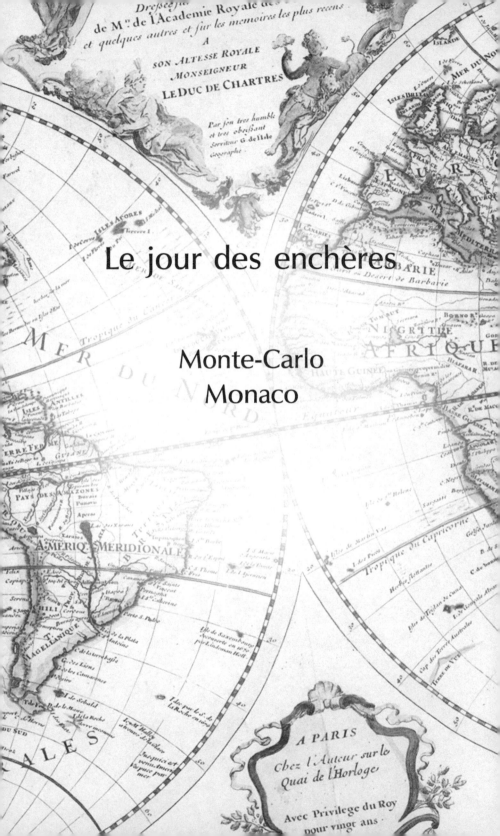

Le jour des enchères

Monte-Carlo
Monaco

CHAPITRE 39

Lorsque le soleil se leva sur la petite principauté de Monaco ce vendredi matin, on avait l'impression que le monde entier avait les yeux braqués sur la ville ; il y avait des camions de journaux télévisés, et des reporters de tous les pays dans les rues et sur les plages, en quête d'une histoire croustillante.

Les gros titres portaient essentiellement sur la soirée de gala et les émeraudes, sur la malédiction brisée et le fait qu'une très jolie jeune femme avait survécu à une chute spectaculaire. Aucune de ces histoires ne mentionnait qu'au petit matin, un hélicoptère avait survolé les fenêtres de la suite présidentielle du plus bel hôtel de Monaco. Personne ne parlait d'adolescents qui seraient descendus en rappel sur les flancs de l'édifice pour une mission de secours. L'immeuble n'avait pas été endommagé, personne n'avait volé d'uniformes de femmes de chambre, de chariots ou de chalumeaux. Non, personne n'avait essayé de kidnapper Katarina Bishop. Et quand le soleil s'était levé pour de bon, seuls un plateau de petit déjeuner et quelques vêtements de rechange prouvaient que quelqu'un se souvenait qu'elle était là.

C'était aussi bien, pensa Kat ; elle ne s'était jamais considérée comme le genre de fille qui a envie qu'on vienne à son secours. Du moins, c'était ce qu'elle croyait jusqu'à ce que la porte de sa petite chambre s'ouvre et que Maggie lui dise :

— On s'en va.

Kat avait passé des heures à essayer de trouver une solution pour entrer dans le palais princier, et pourtant elle en avait oublié une : être prise en otage. Assise à côté de Maggie à l'arrière d'une Bentley, elle nota mentalement qu'elle n'oublierait plus cette option à l'avenir, en attendant que les gardes leur fassent signe d'entrer par des grilles que, trois jours auparavant, les Bagshaw avaient envisagé de faire sauter.

— Où est l'oncle Eddie ?

— Il a terminé son travail ici, Katarina. Il a d'autres obligations.

Kat se retourna vers la fenêtre.

— Le Paraguay, soupira-t-elle.

— Je croyais que c'était l'Uruguay ? Au fait, avant de partir, ton oncle m'a donné sa parole que cette affaire était terminée, lança Maggie d'un air indifférent.

— Il a raison. Kat ne mentait pas en disant cela et elle la regarda bien en face, en ajoutant : Alors, quel effet ça fait d'être à deux doigts de réussir ? Ça fait presque cinquante ans que vous courez après, Maggie, vous avez trahi

334

tous les codes d'honneur pour en arriver là ; sans parler des cœurs brisés…

— Oh, tu es si jeune et si naïve. Tu n'as peut-être pas remarqué, ma chérie, mais c'est ton oncle qui a choisi de m'aider. C'était son idée d'apporter la Cléopâtre, en fait, de doubler la sécurité, la notoriété… et le risque.

— Oui. C'était futé, reconnut Kat. Je crois que c'est exactement ce que j'aurais fait.

Maggie sourit.

— J'en suis certaine, Katarina. Tu es une vraie pro.

— Je ne suis pas mauvaise, admit Kat. Mais je ne suis pas sans cœur, moi.

— Rassure-toi, ça viendra. Ne te fais pas de souci pour Charles et Édouard, ma chère. Tes oncles et moi, on connaît la chanson.

Elle tira sur ses gants en regardant par la fenêtre.

— Cet amour est la plus grosse arnaque qu'on ait inventée.

Kat fulmina.

— *Je ne suis pas vous !*

Elle n'était pas certaine d'avoir pensé les mots ou de les avoir criés, et elle s'en fichait complètement, car elle aurait pu tout aussi bien le hurler sur les toits.

— Je ne serai jamais comme vous.

— Oh, vraiment ? rétorqua Maggie.

— Jamais, articula Kat, et elle se retourna pour regarder les gens agglutinés autour des murs.

Des touristes. Des manifestants qui agitaient des pancartes pour protester et demander que les émeraudes retournent en Égypte, leur pays d'origine.

— Je ne serai jamais cruelle ou cupide... Je ne suis pas

vous, répéta Kat, comme si le soleil d'Égypte brillait sur elle, comme une évidence.

— Oh, dit Maggie en riant presque, et en quoi sommes-nous si différentes ?

Kat pensait à des milliers de raisons, mais une seule importait.

— Parce que moi je ne suis pas toute seule dans cette affaire.

La foule s'écarta pour laisser passer la voiture, et le regard de Kat se dirigea vers un garçon vêtu d'un costume impeccable, d'un long manteau noir, et coiffé d'un chapeau de feutre qu'il lui semblait avoir déjà vu un jour dans l'armoire de l'oncle Eddie.

Les grilles s'ouvrirent lentement, les gardes du prince leur firent signe d'entrer, et Kat se mit à genoux à l'arrière pour voir Hale disparaître par la vitre teintée. Elle le vit sourire et lui faire un petit clin d'œil en touchant son chapeau.

Et ce clin d'œil lui disait : *On est dans le coup.*

CHAPITRE 40

Katarina Bishop n'était pas la première voleuse à se retrouver derrière les murs du palais princier. Elle regarda Maggie et se rappela qu'elle n'était pas la seule voleuse sur place à ce moment-là non plus.

Le bruit de leurs pas résonnait sur le sol en marbre dans le couloir vide. Les talons aiguilles de Maggie faisaient un bruit de castagnettes, elle n'avait plus besoin de se cacher dans les coins sombres. Elle annonçait la couleur, celle du dernier job, le plus flamboyant, le clou de sa carrière.

Son visage serait trop médiatisé par la suite, l'histoire trop connue. Si tout se passait selon son plan, Maggie quitterait la Côte d'Azur d'ici quelques heures avec un chèque de banque et le titre de plus grande arnaqueuse de tous les temps.

Mais elle ne serait jamais Visily Romani.

Kat se concentra sur le nombre de pas. Elle les comptait mentalement en partant de la porte.

Vingt-sept pas. Bouche d'aération.

Treize pas, double porte.

Un autre couloir.

Dix pas. Une autre porte.

Fenêtres sur les falaises.

Cinq pas.

Les plans en noir et blanc s'articulaient et prenaient forme dans son esprit. Elle se rappelait tous les détails. Elle entendit le son de l'ascenseur et la voix cassante de Maggie.

— Katarina !

La femme la saisit par le bras et la tira vers la porte ouverte.

— Entre ! lui ordonna-t-elle.

Kat avait passé des jours à se demander où se trouvait le centre stratégique des services de sécurité du palais, et voilà qu'elle s'y retrouvait tout à coup : il y avait des moniteurs sur trois murs, qui renvoyaient des images en direct de tous les bâtiments et de tous les jardins et extérieurs. Sur un écran on pouvait voir les scènes de foule, et elle se mit à chercher le manteau noir de Hale et son chapeau bien particulier, mais il n'y avait plus aucune trace de lui.

— Madame Maggie, bienvenue, lui lança LaFont en se précipitant vers elle. Quelle belle journée, et...

— C'est tout ? demanda Maggie en jetant un coup d'œil dans la pièce comme si elle s'était attendue à beaucoup plus de matériel.

Kat éclata de rire, Maggie la toisa.

— Il s'agit d'un centre stratégique de sécurité Remington 760 avec des puces d'intelligence artificielle et un encodage sur mesure. C'est ce qu'ils utilisent à Buckingham Palace, expliqua Kat, mais elle se rappela l'endroit où elle se trouvait et la personne qu'elle était supposée être, et elle se mit à glousser comme une gamine : enfin, c'est ce que j'ai entendu dire.

— Est-ce qu'il y a un logiciel de reconnaissance faciale ? demanda Maggie.

— Bien entendu ! répondirent Kat et le chef de la sécurité en même temps, d'un air tout à fait indigné.

Maggie passa son bras autour des épaules de Kat et la serra fortement. Kat lui signifia qu'elle lui faisait mal, mais Maggie ne relâcha sa pression que pour sortir une clé USB qu'elle remit au chef de la sécurité qui l'inséra dans la machine. Six visages familiers apparurent sur l'écran.

— Mais, ce sont... des gamins, dit le chef de la sécurité.

Mais Maggie ne souffrirait aucune objection.

— Distribuez des copies de ces portraits à vos hommes, ordonna-t-elle. Et si vous voyez ces personnes, amenez-les-moi immédiatement.

Le chef de la sécurité regarda Pierre LaFont comme s'il avait raté quelque chose, et c'était bien le cas. Kat s'en aperçut dès que les moniteurs clignotèrent. Elle pensa au son de l'ascenseur, à la taille des bouches d'aération. Et finalement, elle revit le visage et le clin d'œil de Hale.

— Madame, hasarda LaFont. Madame, M. Kelly est ici.

— Merci messieurs, je vous remercie infiniment, dit Maggie aux policiers qui remplissaient la salle.

Elle se dirigea vers la porte, la vente aux enchères, et son futur destin. Elle serra encore plus fort le bras de Kat.

Quand on est au beau milieu d'un job, on éprouve une drôle de sensation.

En marchant dans les couloirs entre Maggie et LaFont, Kat la ressentit – une pulsation, une décharge électrique ; elle avait la chair de poule et les poils de ses bras étaient hérissés comme si un orage soufflait dessus, comme si une étincelle l'avait traversée.

– Qu'est-ce qui se passe ? lui demanda Maggie en se tournant vers elle. Pourquoi souris-tu ?

– Vous ne le sentez pas ? interrogea Kat.

Elle marchait du même pas que Maggie.

– Vous allez le sentir.

– Qu'est-ce que tu veux dire ?

– Vous verrez.

Mais Maggie n'avait pas l'air inquiète, pas avec Kat à ses côtés et tous ces gardes sur le dos. Elle s'écria :

– Monsieur Kelly !

Et sa voix tonitruante résonna dans le silence majestueux du hall.

Kat avait repéré sur les moniteurs le salon surpeuplé, mais le palais était immense, un vrai labyrinthe, et elle savait qu'ils étaient très loin de la salle des ventes et des émeraudes, personne dans l'équipe de Kat ne pouvait entendre ce cri.

– Il nous reste dix minutes, madame, lui rappela LaFont.

– Merci, Pierre.

Le regard d'acier de Maggie dévisagea l'homme élégant qui arrivait de New York.

– Alors dites-moi, monsieur Kelly, que puis-je faire pour vous ?

– Je suis désolé, madame, je croyais que c'était vous qui aviez demandé à me voir.

– Pas moi, chéri, lui dit Maggie en lui tapotant le bras.

Kat dut s'incliner devant le talent de cette femme ; son accent était impeccable, et le choix des mots tout simplement parfait.

De son côté, Kelly, était beaucoup moins impressionné.

– On m'a demandé de vous rencontrer dix minutes avant le début de la vente aux enchères.

– Je ne sais pas quoi dire, mon lapin, lui répondit Maggie. Vous avez dû me prendre pour une de ces femmes pleines aux as… dit-elle en riant vulgairement, mais Kelly resta de marbre.

– Très bien, répliqua-t-il, dans ce cas je vais vous souhaiter bonne chance.

Il était sur le point de repartir, lorsque LaFont lança :

– Madame, Son Altesse sérénissime vous prie de le rejoindre pour quelques instants.

Maggie regarda LaFont et se retourna soudain sur Kelly.

– Vous dites que quelqu'un vous a dit de me retrouver ici ? demanda-t-elle à l'homme qui s'apprêtait à appuyer sur le bouton de l'ascenseur.

– Oui, confirma Kelly.

Maggie réfléchit quelques instants, tandis que les portes s'ouvraient.

– Qui ? interrogea-t-elle.

– Ce type des assurances. Je crois qu'il s'appelle Knightsbury.

Maggie percuta instantanément, le stratagème était clair.

Et Kat avait raison. Une grande arnaque, même la plus fabuleuse, n'est qu'une suite de millions de secondes articulées les unes après les autres, et elle saisit le moment parfait pour sauter dans l'ascenseur à côté d'Oliver Kelly.

Elle lança :

– On se retrouvera à la vente, tante Maggie !

Maggie eut tout juste le temps de maudire Kat en la voyant disparaître derrière les portes coulissantes.

Oliver Kelly n'était pas un spécialiste des antiquités. Il ne payait pas ses factures avec des tableaux de famille ou des perles de grand-mère. C'était peut-être l'image qu'il donnait à l'extérieur, mais dans son for intérieur, Kelly était quelqu'un d'autre : il avait le sens du détail ; un nom dont on se souvient, une carte de visite envoyée. Il savait repérer l'authenticité dans tout ce qu'il touchait, et il savait mettre le doigt sur tout ce qui n'était pas authentique.

C'est pourquoi, coincé dans l'ascenseur du palais princier, il ne faisait pas attention à la jeune fille qui se trouvait à côté de lui. Elle était visiblement trop pauvre pour acheter quoi que ce soit ou pour vendre quelque chose, et il se contentait donc de fixer les portes qui réfléchissaient son image. L'ascenseur hésita et fit un bruit bizarre, Kelly appuya frénétiquement sur les boutons. Quand l'ascenseur s'immobilisa, il pianota encore plus fort.

Mais une petite voix douce lui dit :

– Ça ne servira à rien.

Et il se rappela tout à coup, lui, le roi du détail, qu'il n'était pas tout seul dans ce petit espace. Il y avait un drôle de bruit, comme un grattement au-dessus d'eux, et Kelly regarda au plafond.

– On dirait qu'il y a quelqu'un là-haut !

La fille se mit à rire.

– C'est peut-être un fantôme.

Mais Oliver Kelly ne vit rien de drôle dans cette situation.

– Qu'est-ce qui ne va pas ? interrogea la fille, vous ne croyez pas aux fantômes, monsieur Kelly ?

– C'est absurde ! dit-il en se mettant à tambouriner sur les portes. Au secours, à l'aide, par ici !

Mais la fille n'avait pas du tout l'air de paniquer, et elle lui demanda :

– Et les malédictions, vous y croyez ?

Il appuya de nouveau sur tous les boutons. La fille avait l'air de trouver ça très drôle, elle était pliée en deux contre la paroi, tellement elle riait. Finalement, elle ajouta :

– Je pensais que vous ressembleriez à votre grand-père. Il en fallait beaucoup plus pour lui faire peur, paraît-il.

Kelly s'intéressa pour la première fois à celle qui était à côté de lui.

– Mon grand-père était un homme courageux… un visionnaire.

– Un voleur ?

Elle avait dit cela si naturellement, sans le moindre soupçon de mépris ou de jugement, qu'il aurait pu jurer avoir mal entendu. Elle paraissait tellement innocente, après tout, les mains posées derrière elle, sur la rampe qui faisait le tour de l'ascenseur.

– Je vous demande pardon ? lui demanda Kelly.

– Je crois que je ne pourrais pas faire un truc pareil… piller une tombe en plein désert…. en tout cas, il n'a pas dû y aller tout seul, il avait certainement une petite équipe avec lui. Et cela a dû être difficile... pour un amateur...

de vider complètement le mausolée en deux jours seulement.

– Jeune fille, vous n'avez aucune idée de ce que vous racontez !

Mais elle se contenta de rire. Elle paraissait bien plus âgée et bien plus expérimentée qu'elle ne devait l'être, quand elle sourit et lui dit :

– Détrompez-vous.

L'homme recommença à s'acharner sur tous les boutons.

– Il devrait y avoir un...

– Ils ont commencé à installer des téléphones dans les ascenseurs à partir de 1972, et ça c'est un modèle Otis 420.

Il la dévisagea.

– Fabriqué principalement en Europe dans les années 1940.

Elle secoua la tête :

– Pas de téléphone.

C'est là qu'Oliver Kelly commença à paniquer.

– Respirez monsieur Kelly. Tout va bien. Ne vous inquiétez pas. Ce n'est pas comme si l'un de nous était maudit.

– L'Émeraude de Cléopâtre n'est pas maudite !

Mais la fille se contenta de sourire, d'un air entendu. Ses yeux bleus signifiaient qu'elle savait tout.

– Il l'a volée, n'est-ce pas ? demanda-t-elle tandis que Kelly tirait sur sa cravate. Ce que je n'ai pas encore saisi, c'est s'il a rejoint l'expédition des Miller dans le but de les doubler, ou bien si c'était juste une stupide question de chance.

– Mon grand-père n'était pas stupide, rétorqua Kelly.

– Certainement.

La fille avait l'air tellement sincère en disant cela qu'on oubliait ce qu'elle était en train de raconter.

– Si vous voulez mon avis, c'était un génie.

L'ascenseur s'ébranla, mais ne repartit pas.

– Un trésor de cette envergure ? Cela a dû être le casse du siècle.

– Oliver Kelly n'était pas un vulgaire criminel !

La fille sourit.

– Qui a parlé de vulgarité ?

Elle se rapprocha de lui, et tout à coup elle occupait presque la totalité de l'ascenseur de par son autorité.

– Dites-moi seulement, d'enfant de voleur à enfant de voleur : il l'a fait, n'est-ce pas ?

– Ne soyez pas ridicule ! répliqua Kelly, mais la jeune fille, si menue, se rapprocha encore.

– Oliver Kelly a volé cette pierre, et il a bâti un empire dessus.

– Mon grand-père était...

– Un visionnaire. Un pionnier. L'homme qui est allé dans cette chambre funéraire pendant que la famille Miller dormait, et qui a prétendu être le propriétaire de l'Émeraude de Cléopâtre...

Elle le fixa droit dans les yeux.

– C'était un voleur, non ?

Kelly avait l'air prisonnier dans ce petit espace, il pensait à dix mille choses à la fois en regardant la fille qui, elle, ne disait rien, et il répliqua :

– C'est vrai. C'était un voleur.

L'ascenseur revint à la vie. Ses portes s'ouvrirent.

– Katarina ?

L'expression sur le visage de Maggie était un mélange de panique et de soulagement. Elle regarda Kat d'un air soupçonneux.

– Tu es...

– Ici ? enchaîna Kat. Ne vous inquiétez pas, Maggie. Elle se retourna et sortit en disant :

– C'était précisément l'endroit où je rêvais d'être.

Comme tous les grands voleurs, Kat Bishop savait d'instinct comment éviter les projecteurs. Mais il y avait quelque chose de providentiel à se retrouver juste à côté de Maggie tandis que la femme descendait dans l'allée centrale pour prendre place dans la petite section de sièges vides réservés sur le devant de la salle bondée.

Non, réalisa Kat une seconde plus tard. La rangée n'était pas vide, pas tout à fait. Un garçon était assis tout seul, un garde se tenait à côté de lui.

– Madame, nous avons fait selon vos ordres... commença le garde, mais Maggie le fit taire d'un geste et s'installa au premier rang, tandis que Kat se glissait à côté de Hale.

– Tu es venu pour me secourir ? lui demanda-t-elle.

– Peut-être.

Il sourit. Elle regarda les menottes en plastique qui emprisonnaient ses poignets.

– Ça fait mal ?

Il hocha la tête lentement.

– Je réfléchis à plusieurs choses.

– Bien, dit Kat en jetant un coup d'œil vers l'avant de la pièce. Du moment qu'il y a un plan.

346

– Oh…

Il lui sourit lentement.

– Il y en a un.

Kat était aux premières loges pour voir la façon dont LaFont se dirigeait vers le micro, avec la démarche nerveuse du commissaire-priseur qui se préparait à entrer en action. Il y avait environ trois cents personnes en train d'étouffer à moitié dans la salle, quand on ouvrit les portes du fond. Toutes les têtes se tournèrent pour voir deux nouveaux vigiles apparaître, chacun tenant un des frères Bagshaw par la peau du cou (c'était assez pittoresque, car les frères Bagshaw étaient grimés en ramoneurs).

Kat se tourna vers Hale.

– Le coup de Mary Poppins ?

– Ça nous paraissait une bonne idée.

– Ouais, visiblement. Juste pour info, c'est quoi, ce plan magistral… ?

– Reste encore deux ou trois petites choses à fignoler, admit Hale, et il chercha sa main.

Dès qu'il la toucha, Kat sut que les malédictions n'existaient pas. Les gens font ou défont leur propre destin, ils en sont les maîtres. Et Kat n'aurait changé ce moment-là pour rien au monde.

Elle l'embrassa, et c'était un baiser furtif et léger comme une plume.

– En quel honneur ? demanda-t-il.

Kat posa ses doigts sur son visage et rapprocha son front contre le sien en murmurant :

– Pour nous porter chance.

LaFont était déjà sur le podium lorsque Kat se retourna.

– *Ladies and gentlemen*, mesdames et messieurs.

Il jeta un coup d'œil circulaire dans la salle. C'était le plus grand moment de sa vie, Kat le savait, son moment de gloire, il allait être le roi du jour.

Elle eut un petit moment de tristesse à l'idée qu'elle allait le détruire.

À ce moment-là, les portes latérales s'ouvrirent en grand. Deux nouveaux gardes apparurent ; l'un tenait un ordinateur portable, l'autre maintenait fermement Simon, écarlate, par le col.

Maggie se tourna vers Kat, en souriant, tandis que LaFont entamait son discours.

— Avant de commencer, et en raison du caractère exceptionnel de cette vente, nous avons décidé de faire expertiser une dernière fois la pierre ici, devant tous ces témoins, afin de vérifier qu'il s'agit bien de l'Émeraude de Marc Antoine perdue et retrouvée.

Tout le monde était déjà au courant dans la salle. En fait, les collectionneurs et les investisseurs qui étaient venus ici connaissaient déjà l'homme du musée du Caire et la femme venue d'Inde, qui était la gemmologue la plus réputée au monde.

L'un après l'autre, une demi-douzaine d'experts furent appelés et présentés au public, leurs titres et leurs exploits de spécialistes déclinés, jusqu'à ce que la vitrine contenant la pierre verte soit finalement ouverte.

Même si la pierre avait déjà été authentifiée auparavant, la salle plongea dans le silence, tandis que les experts se rassemblaient autour pour le spectacle cérémoniel. Mais Maggie, elle, ne regardait que Kat.

— C'est terminé, ma chérie, dit-elle en tapotant les mains de Kat. J'apprécie ton enthousiasme.

Elle jeta un coup d'œil à Hale.

— Et la volonté dont vous avez fait preuve. Je trouve que vous avez beaucoup de talent, un talent très prometteur.

— Vraiment ? lui demanda Kat.

— Oui.

Maggie éclata de rire. Elle avait presque l'air attendri.

— J'ai l'impression de me revoir à votre âge.

— Je ne suis pas comme vous, répéta Kat, en pensant à leur conversation dans la voiture, mais Maggie n'avait pas l'air d'y croire.

— Tu te trompes. Il ne faut pas avoir honte d'avoir perdu cette fois-ci, affirma-t-elle. Comme je le disais à ton oncle avant qu'il ne s'en aille hier soir, il t'a très bien élevée. Tu es une excellente voleuse, mais bien entendu il y a des lacunes dans ton éducation.

— Vraiment ? l'interrogea Hale.

Maggie l'ignora.

— Quand ce sera terminé, tu pourras venir avec moi, Katarina. J'ai tellement de choses à t'apprendre !

— Vous avez l'air bien sûre de vous, Maggie, rétorqua Kat.

Maggie sourit triomphalement en ajoutant :

— Je le suis.

Une nouvelle porte s'ouvrit, et un autre garde apparut. Cette fois avec Gabrielle, qui portait un justaucorps noir et un baudrier.

Normalement, l'affaire était bouclée. Kat regarda toute son équipe prisonnière et défaite, et visiblement la malédiction avait frappé encore une fois. D'ici quelques minutes les enchères commenceraient, le chèque serait signé, l'émeraude disparaîtrait dans un autre pays, derrière d'autres murs, et probablement elle ne réapparaîtrait plus devant les yeux du public avant, peut-être, un autre millénaire.

C'était presque terminé.

Kat sentit la main de Hale dans la sienne.

En réalité, cela ne faisait que commencer

– *Ladies and gentlemen...*

La gemmologue s'était finalement approchée du micro. Elle jeta un coup d'œil machinal aux collègues qui étaient rassemblés derrière elle, prit une grande inspiration et déclara :

– Selon l'avis des experts rassemblés ici, la pierre dite « Émeraude de Marc Antoine », est un magnifique spécimen.

Maggie soupira de béatitude, comme si elle retenait sa respiration depuis cinquante ans et qu'elle pouvait enfin la libérer.

L'expert continua :

– En fait, c'est le *faux* le plus spectaculaire qu'aucun d'entre nous ait jamais vu.

CHAPITRE 41

« Chaos » n'est pas le mot que Kat aurait utilisé. Chaos implique mouvement, action et peur. Ce qui suivit était de l'ordre de la panique la plus ahurissante que Kat ait jamais vue.

– Il doit pourtant y avoir... mais elle a été authentifiée par... il doit y avoir une erreur ! s'écria LaFont, mais ses paroles se perdirent dans le vacarme qui commençait à gronder dans la salle, auparavant silencieuse et déférente comme une assemblée d'église.

La foule parlait et s'agitait. Mais si quelqu'un pouvait penser que Margaret Covington Godfrey Brooks était pour quelque chose dans ce scénario, il suffisait de regarder sa tête pour voir qu'elle était la plus surprise de tous.

En quelques secondes l'état de choc s'estompa, Maggie se leva et se précipita sur l'émeraude.

– Madame ! l'appela LaFont, s'il vous plaît, asseyez-vous, restez...

351

Mais Maggie ne risquait pas de faire une crise cardiaque, car son cœur était bien trop blindé pour craquer. Le vrai problème n'était pas ce qui allait arriver à Maggie, mais ce qu'elle risquait de faire.

— Madame, vous allez bien ? voulut savoir LaFont, mais la femme le repoussa sur le côté comme s'il était lui aussi devenu un objet encombrant et frauduleux.

— Mais vous êtes tous ici...

Maggie s'arrêta et tourna les talons, son regard alla de Gabrielle à Simon, en passant par les frères Bagshaw, puis de Kat à Hale.

— Vous êtes tous là !

— Non, Maggie, dit Kat en secouant la tête. Vous en avez oublié un.

Au milieu du chaos, il était facile de ne pas remarquer le dernier adolescent qui apparut au fond de la salle, entouré d'hommes en uniforme et d'une femme très chic, incroyablement belle et complètement zen au milieu de la folie ambiante.

Nick fit un petit signe en direction de Kat, et il se tourna vers la femme qui était à côté de lui. Sa mère lui murmura quelque chose à l'oreille, puis se tourna et appela :

— Monsieur Kelly !

Personne ne sembla l'entendre en dehors de Kat. Les journalistes étaient au téléphone. Les experts étaient groupés, ils essayaient de comprendre comment la pierre de Marc Antoine avait pu être aussi réelle quelques jours auparavant. Certains ego étaient fracassés. Des fortunes étaient balayées. L'Émeraude de Cléopâtre et sa malédiction étaient les dernières choses qui venaient à l'esprit des gens jusqu'à ce que la femme avec l'accent britannique s'écriât :

— Monsieur Oliver Kelly !

— Aucun commentaire, dit Kelly, en faisant un signe négatif de la main.

— Quel dommage !

Amelia croisa les bras.

— J'espérais que vous pourriez nous expliquer cela.

Elle appuya sur le bouton d'un petit appareil et, un instant plus tard, une voix résonna dans les haut-parleurs de la salle. Une vidéo défila sur les écrans, derrière le podium.

— L'Émeraude de Cléopâtre n'est pas maudite !

— Il l'a volée, n'est-ce pas ? Ce que je n'ai pas encore saisi, c'est s'il a rejoint l'expédition des Miller dans le but de les doubler, ou bien si c'était juste une stupide question de chance.

— Mon grand-père n'était pas stupide.

— Certainement. Si vous voulez mon avis, c'était un génie. Un trésor de cette envergure ? Cela a dû être le casse du siècle.

— Oliver Kelly n'était pas un vulgaire criminel !

— Qui a parlé de vulgarité ? Dites-moi seulement, d'enfant de voleur à enfant de voleur : il l'a fait, n'est-ce pas ?

— Ne soyez pas ridicule

— Oliver Kelly a volé cette pierre et il a bâti un empire dessus.

— Mon grand-père était...

— Un visionnaire. Un pionnier. L'homme qui est allé dans cette chambre funéraire pendant que la famille Miller

dormait, et qui a prétendu être le propriétaire de l'Émeraude de Cléopâtre... C'était un voleur, non ?

L'angle de la caméra était étrange, comme si quelqu'un avait passé la matinée au-dessus de l'ascenseur, à filmer à travers les conduits d'aération. On ne voyait que les cheveux noirs d'une jeune fille, mais on voyait parfaitement Kelly tremblant et rajustant sa cravate au moment où il déclarait :

— *C'est vrai. C'était un voleur.*

Le silence revint aussitôt dans la salle et, à cet instant, on oublia même la pierre de Marc Antoine.

— Comme je vous le disais, monsieur Kelly, je m'appelle Amelia Bennett et je travaille pour Interpol. Si vous n'y voyez pas d'inconvénient, monsieur, nous aimerions vous poser quelques questions.

Kat ne resta pas pour écouter les histoires et les excuses, les démentis et les mensonges. Hale s'était débarrassé de ses menottes et il entoura gentiment les épaules de Kat, qui sentit tout le poids de ses tensions fondre comme neige au soleil. Au fond de la salle, Hamish et Angus avaient échappé à leurs gardes. Simon également. Seule Gabrielle restait coincée. Kat vit Nick se diriger vers les gardes qui se tenaient de chaque côté de sa cousine et leur dire :

— Elle est avec nous.

Et ils se retrouvèrent tous libres comme l'air. Personne ne les empêcha de sortir par la grande porte. À la grille extérieure, aucun touriste ne remarqua les sept voleurs qui prenaient la fuite après avoir dérobé la plus célèbre émeraude du monde. À nouveau.

Pour la première fois depuis qu'elle était arrivée sur la Côte d'Azur, Kat admira l'eau de la mer. Elle sentit la chaleur du soleil. La Méditerranée était magnifique tandis qu'ils se dirigeaient vers les falaises.

— Katarina ! l'appela à nouveau la voix portée par le vent, et malgré le soleil et l'air de la mer, l'esprit de Kat retourna à New York. Elle pouvait presque sentir le vent et la pluie glacée, et elle se demanda ce qui se serait passé si elle ne s'était pas retournée.

Soudain Kat s'arrêta et secoua la tête. Elle regarda Hale, et seulement à ce moment-là Kat Bishop cessa de penser.

— Katarina.

Maggie ne courait pas. Les inspecteurs d'Interpol ne portaient aucun intérêt à la femme qui avait été humiliée en public. Ses quinze minutes de célébrité étaient écoulées, et la pierre de Marc Antoine resterait enterrée peut-être à jamais, alors que celle de Cléopâtre devenait le centre de la scène.

Maggie marchait toute seule, en plein soleil.

— Comment ?

Le mot semblait lui faire mal, mais il n'y avait ni colère ni menace dans sa voix. C'était par pure curiosité professionnelle qu'elle s'approchait, la défaite dans le regard.

— Tu es une enfant, Katarina. Une fille intelligente et pleine de talent, mais... une enfant.

— Je suis une voleuse, Maggie.

— Oui, bien sûr. Mais... dis-moi comment ?

Kat sentit son équipe autour d'elle : le bras de Hamish entourant les épaules de Simon ; les mains délicates de

Gabrielle agrippées aux bras d'Angus et de Nick. Kat et Hale étaient main dans la main, et leurs doigts entrelacés si fort que rien ne pourrait les séparer. Rien. Elle le dévisagea. Ni personne.

– C'est facile, répondit Kat, quand on ne travaille pas tout seul.

– Mais ton oncle...

– A joué son rôle à la perfection, vous ne trouvez pas ? dit Gabrielle. Sans doute ne vous a-t-il pas pardonné, après tout.

Kat regarda le choc s'infiltrer dans le regard de Maggie pendant que sa cousine parlait.

– Je veux dire que sans lui vous n'auriez jamais apporté la Cléopâtre en ville, et sans cela... eh bien...

Kat écarta ses cheveux d'un revers de main et observa la femme qui aurait pu être son avenir. Mais elle sentit Hale serrer sa main plus fort pour la recentrer, et Kat sut que si elle restait vigilante, elle et Maggie ne se croiseraient plus.

– Mais...

Maggie cherchait ses mots.

– Vous n'avez toujours pas compris, Margaret ?

Kat sourit presque tristement.

– Nous n'avons jamais eu besoin de voler la pierre de Marc Antoine. La seule chose que nous ayons faite a été de rapprocher les deux pierres et d'intervertir les étiquettes.

2 semaines après la vente aux enchères

Uruguay, à moins que ce soit au Paraguay...

CHAPITRE 42

Bien que l'histoire de l'émeraude dite la « Marc Antoine » ait été racontée dans tous les journaux, ce n'était pas le genre de nouvelles qui présentait un intérêt quelconque dans une ville comme Valle Dorado. L'été avait été trop chaud, la saison des pluies beaucoup trop longue, et il y avait trop de travail à accomplir pour s'inquiéter d'une pierre verte qui avait deux mille ans et qui se trouvait de l'autre côté de la planète.

C'est ce que l'on disait. Mais les rumeurs, avait remarqué Kat, s'éteignent très lentement.

Assise entre Hale et Gabrielle dans un café, du côté ensoleillé de la place, Kat essayait de ne pas penser aux journaux qui se trouvaient aux pieds de Hale, elle savait trop bien ce qu'ils disaient....

Que la pierre de Marc Antoine était un faux. Un faux magnifique. Une arnaque de premier ordre. Que la plupart des experts qui avaient juré au départ que l'émeraude était authentique attribuaient maintenant leur erreur aux instruments d'évaluation défectueux, à la fatigue due au décalage horaire...

Si quelqu'un recherchait une femme du nom de Margaret Covington Godfrey Brooks, il ne la trouverait pas. Elle avait disparu aussi rapidement que la pierre de Marc Antoine, évanouie comme une fumée au milieu des touristes et de la foule, balayée comme par magie ; mais Kat savait qu'elle traînait encore dans la région et que, comme la pierre de Marc Antoine, elle pourrait réapparaître un jour ou l'autre.

De l'autre côté de la place, il y avait une fontaine avec une statue de saint Christophe, une église ouvrait ses portes après la messe du matin. Elle vit les écoliers et les marchands, entendit les cloches sonner pour dire au monde entier qu'il était temps de passer à autre chose.

— Combien de temps ? demanda Hale.

— Trois minutes, répondirent les deux filles d'une seule voix.

Sur la place, ce jour-là, les gens avaient remarqué les trois jeunes gens assis à une table qui commandaient des limonades. Les filles portaient des robes blanches, le garçon avait un chapeau de paille, et ils ressemblaient presque aux personnages d'une toile impressionniste en train de se prélasser au soleil.

Quand les boissons arrivèrent, Gabrielle croisa ses longues jambes et Kat l'interrogea :

— Comment va ta cheville ?

Gabrielle sourit.

— Comme neuve.

La malédiction était levée, ou peut-être n'avait-elle jamais existé. La seule chose dont Kat était certaine était qu'il y avait des choses que même les meilleurs artistes ne peuvent imiter. Il y a des événements que même les voleurs les plus doués ne peuvent prévoir. Et le véritable amour... le véritable amour ne peut jamais être divisé en deux.

Elle se demanda pendant une seconde ce qui était advenu de la pierre de Marc Antoine, et quelque chose lui dit que les légendes étaient vraies, elle était là, quelque part, perdue, attendant d'être découverte, mais Kat n'avait pas l'intention de lui courir après.

Ce dont elle avait réellement besoin, elle l'avait déjà trouvé.

Hale s'écria en levant son verre :

— À l'oncle Eddie, le meilleur infiltré de tous les temps.

Gabrielle reprit le toast en chœur, mais Kat n'arrivait pas à prononcer ces paroles.

— Qu'y a-t-il ? demanda Gabrielle.

— Tu crois qu'il l'aime encore ?

Elle surveillait, de l'autre côté de la rue, la silhouette d'un homme très bien habillé qui entrait dans une banque, vraisemblablement inconscient de la présence de la benne à ordures qui stationnait à quelques mètres de là.

Kat regarda sa limonade.

— Tu crois qu'il a trahi l'amour de sa vie... à cause de nous ?

— Elle a utilisé le nom de Romani, Kat, répondit Gabrielle.

— Et de plus... elle s'interrompit...

Son regard dérivait au loin, il y avait un sentiment de paix lorsqu'elle ajouta :

— Nous sommes l'amour de sa vie.

Elle leva son verre à nouveau.

— À la famille !

Cette fois, Kat était d'accord pour trinquer et porter ce toast.

— Alors, ce n'est pas l'heure de...

Hale s'arrêta car, quelques immeubles plus loin, une forte explosion retentit et une spirale de fumée noire tourbillonna, obscurcissant le ciel temporairement.

— Ouais, dit Kat.

— Et ton père est certain que le gang qui est assis sur ce paquet de fric n'en connaît pas vraiment la valeur ? demanda Hale, inquiet.

— Eh bien ! on va le savoir, répondit Kat, tandis qu'un homme se précipitait vers la fontaine et criait très vite en espagnol qu'il avait besoin de toutes les mains disponibles à l'arrière de l'église.

— Ouah ! La jambe de l'oncle Félix va beaucoup mieux !

— Ouais ! s'écria Gabrielle, il trotte comme un lapin !

C'était la panique sur la place, les gens hurlaient et la fumée se propageait, mais les trois adolescents restaient assis tranquillement, tandis que l'oncle Eddie grimpait dans le camion et s'en allait.

— Alors, dit Hale en regardant la fumée monter et les Bagshaw courir, on va où, maintenant ?

Kat se leva et vida son verre d'un trait, puis le reposa sur la table et se tourna vers le soleil.

— Eh bien voyons, il y a cette cave en Suisse que j'aimerais bien retrouver.

Elle chaussa ses lunettes de soleil ; elle marchait déjà au milieu de la rue, quand elle se retourna et regarda Hale et Gabrielle.

— Vous venez ?

REMERCIEMENTS

En écrivant les romans de *La Vie cachée de Katarina Bishop*, j'ai appris une chose : c'est qu'on n'est rien, en tout cas pas aussi bon, sans une bonne équipe.

Je n'aurais jamais pu terminer ce livre sans le soutien extraordinaire et le regard d'éditeur bienveillant de Catherine Onder. Je dois tant à Stephanie Lurie, Deborah Bass, Dina Sherman, et au reste de la famille Disney-Hyperion, toujours prêts à me venir en aide quand je suis pressée et à me fournir le matériel dont j'ai besoin.

Je suis infiniment reconnaissante à Jenny Meyer, Whitney Lee, Sarah Self, et particulièrement à Kristin Nelson et à tout le monde à l'agence littéraire Nelson, pour leur constante loyauté et leur dévouement sans faille. Ce sont les meilleurs défenseurs de ce métier.

Les mots sont insuffisants pour exprimer ma gratitude envers Heidi Leinbach, qui a tout fait pour faire aboutir ces livres et préserver ma santé. De plus, elle est toujours à la sortie pour me ramener en voiture.

Mon équipe ne serait pas complète sans Jen Barnes, Holly Black, Rose Brock, Maureen Johnson, Carrie Ryan et Bob ; ils sont toujours prêts à faire des acrobaties inimaginables pour m'aider à survivre dans les grands coups montés qui sont les clés de ce métier.

Et bien sûr, je dois tout cela à mon père, ma mère, ma grande sœur, qui m'ont appris tout ce que je sais.

Composition PCA
44400 – Rezé

Impression réalisée par
Corlet imprimeur
14110 Condé-sur-Noireau
pour le compte des Éditions Michel Lafon

 **IMPRIM'VERT**®

Imprimé en France

Dépôt légal : juin 2012
N° d'imprimeur : 146243
ISBN : 978-2-7499-1644-6
LAF 1600